La memoria

777

Andrea Camilleri

Il sonaglio

Sellerio editore
Palermo

2009 © *Sellerio editore via Siracusa 50 Palermo*
e-mail: info@sellerio.it
www.sellerio.it

Camilleri, Andrea <1925>

Il sonaglio / Andrea Camilleri. Palermo : Sellerio, 2009.
(La memoria ; 777)
EAN 978-88-389-2356-2
853.914 CDD-21   SBN Pal0216491

CIP - *Biblioteca centrale della Regione siciliana «Alberto Bombace»*

Il sonaglio

Primo

Uno

Alla prima duminica del misi di fivraro del primo anno che il seculo novo era ancora un agniddruzzo che non arrinisciva a tinirisi addritta supra alle sò gamme, capitò che le dù campani della chiesa matrici si misiro a sonari alla dispirata che manco erano le quattro del matino.

In paìsi c'erano i borgisi che avivano i ralogi 'n casa e che comunqui avivano i palazza 'n centro e accussì potivano sintiri il ralogio del municipio che a ogni quarto d'ura scassava i cabasisi e po' c'erano i minatori, i viddrani, i jornatanti, i carritteri, i morti di fami che il ralogio non l'avivano, che bitavano squasi 'n campagna, ma che l'ora del jorno o della notti l'accapivano lo stisso, anzi meglio del ralogio, col camino del soli o delle stiddre.

Epperciò tutti s'ammaravigliaro della sonata: non sulo ammancavano dù orate bone alla prima missa, ma le campani chiamavano a strommo, signo di piricolo gravi o di granni alligrizza. Siccome che da mai, a mimoria d'ognuno, c'era stata per il paìsi una qualisisiasi scascione di granni alligrizza, e manco sinni travidiva una in luntananzia, a malgrado che si diciva che quel seco-

11

lo sarebbi stato il meglio di tutti, non ci fu pirsona che non si fici di subito capace che doviva essiri capitata 'na grossa disgrazia in una delle cinco minere nelle quali travagliavano, in un modo o nell'altro, e macari il sabato notti, i bitanti d'Alagona.

Mentri che si vistivano allo scuro pirchì le campani mittivano tanta prescia che non davano manco tempo d'addrumare cannile o lumi a pitroglio, tutti parlavano, si spiavano, biastemiavano, prigavano.

Tempo 'na mezzorata la chiesa si inchì che manco per la missa della notti di Natali. Don Aitano Persico, 'u parrocu, però non compariva. Si stava vistenno, pirchì si era mittuto a sonari le campani 'n cammisa di notti.

«Unn'è 'u parrocu? Che fa?» spiava la genti a Filomeno, il sacristano.

«Prega» arrispunniva quello caminanno chiesa chiesa col truribbolo 'n mano e spargenno 'ncenso a dritta e a manca, pirchì è cosa cognita che la genti, se la matina si susi e non si lava, doppo tanticchia fete. E cchiù genti c'è cchiù fetu c'è. Po' finalmenti dalla sagristia comparse 'u parrocu.

All'ebica don Aitano era squasi sittantino e aviva 'na testa pricisa 'ntifica a 'na crozza, tanto era sicco. Ma quanno pridicava, gli nisciva 'na voci che potiva arrisbigliari i morti. Non era parato per la missa, epperciò si misi con le spalli all'artaro, isò 'na mano trimolianti che pariva nisciuta allura allura da cent'anni di tomba e dissi:

«Nenti è capitato».

12

E la genti dintra alla chiesa, che aviva tinuto il sciato aspittanno la malanova, ripigliò a respirari.

«Tutto devi ancora capitare» prosecuì 'u parrocu.

E la genti novamenti non sciatò cchiù.

Don Aitano aviva chista: che certi notti s'insognava le cose che dovivano capitare. E non sgarrava mai: le cose capitavano. Non aviva ditto che la secunna gallaria della minera Trabonella sarebbi crollata supra a dudici sbinturati? E la secunna gallaria era crollata facenno dudici morti. Non aviva ditto che la stati del novantacinco sarebbi stata càvuda come lo 'nfernu? E non era successo che 'u frumento s'era abbrusciato da sulo?

«Ma quello che devi capitare» continuò 'u parrocu «non l'ho accapito beni. C'era, in celo, 'na grannissima stiddra cometa che s'arrotuliava torno torno a se stissa come un sirpenti e si mangiava le altre stiddre nicareddre. E tutti voi, parrocciani mei, chiangivate di duluri pirchì la stiddra cometa vi stava portanno gran danno. Altro non posso dirivi pirchì altro non ho viduto che le lagrime degli occhi vostri. Un sciumi, un mari di lagrime. Perciò, se volite, potemo prigari da ora in poi tutte le matine alle quattro, la chiesa a quell'ura sarà aperta. Forsi con le nostre priere la stiddra cometa cangerà strata».

Visto e considerato che nelle minere non era capitata nisciuna disgrazia, mità dei parrocciani tornò a corcarsi. Al momento che ci sarebbi stato da chiangiri, avrebbiro chiangiuto. L'autra mità ristò dintra alla chiesa per la novena.

Passò lo 'nverno, passò la stati, principiò l'atunno e

la genti accomenzò a farisi pirsuasa che stavota don Aitano aviva fagliato. Nelle cinco minere c'erano stati appena appena dù morti, le stascioni avivano fatto il doviri sò e la terra, di conseguenzia, aviva dato 'u sò frutto in abbunnanzia. Ma il jorno quinnici del misi di ottobriro dù carusi che travagliavano nella minera Trabonella, uno di se' e l'altro di deci anni, morero tempo 'na simana. Po' ne morsero setti della Fiannaca, appresso cinco della Mintina. Doppo, la morti tornò nella Trabonella e non sparagnò né la Bozzo-Risi né la Terranova. A dicembriro i carusi morti, in un giro d'età che annava dai se' ai tridici anni, foro ducentodeci. Le tintaro tutte. Ficiro arrivari dalla Germania un medicu che era specialista di malatie delle minere, ma quello dissi alla fini che non era malatia di sò canoscenzia: vinni di pirsona il piscopo di Montelusa a binidiciri tutte le minere; ficiro tri processioni; chiamaro a un parrino che cacciava i diavoli. Nenti, non ci fu verso.

'U medicu del paìsi, il dutturi Jacopino, che non cridiva né a Diu né ai diavoli, diciva che si trattava di 'na malatia che si chiamava grippu e che attanava i cchiù debboli com'erano i carusi e che perciò abbisognava fermari il travaglio nelle minere pirchì era lì che succidiva il contagio, ma ai propietari da un'oricchia ci trasiva e dall'autra ci nisciva. Figuramocci! Chiuiri le minere! Ma il signuri e dutturi Jacopino si rinniva conto di cosa viniva a significari chiuiri le minere? Tutti foro contrari, i propietari che vinivano a perdiri il guadagno e i minatori che non avrebbiro cchiù avuto mezza lira per mangiari. A ghinnaro dell'anno appresso la moria finì 'mprovisa, accussì com'era principiata. Ma le cinco minere di Alagona non avivano cchiù carusi.

Allura il marchisi Terranova fici 'na bella pinsata che portò a canuscenzia dell'altri propietari: pirchì non mannari reclutatori di carusi nelle zone della costa? Non c'era macari da quelle parti genti morta di fami e con le pezze al culu, disposta a cediri i figli per mannarli a travagliare in minera?

Fu accussì che qualichi jorno appresso a Vigàta arrivò don Filibertu Alagna, un quarantino che pariva un varilotto, un aneddro, vascio d'artizza, facci tunna, panza tunna, manuzze tunne e sempri che stava a sorridiri, allegro e amicionaro. 'Nzumma, un omo che dava granni fiducia al sulo taliarlo. Lassata la baligia alla pinsioni «Pace», si 'nformò come si faciva ad arrivari alla via Calibardi e di subito ci annò.

La via Calibardi era 'na stratuzza stritta stritta che si partiva da darrè al municipio e sinni acchianava, turciuniannosi come un sirpenti, supra alla collina di marna in cima alla quali ci stavano 'n'autra poco di casuzze malannate e il camposanto. Po' viniva la campagna. La via però 'n pàisi era cognita come 'a strata do meli, pirchì le musche lì arrivavano a nuvole, come fanno quanno attrovano qualichi guccia di miele. Quella era la strata della povira genti che bitava nei catoj, che erano càmmare a piano terra senza finestra che pigliavano aria sulo dalla porta e indove ci stava un unico letto dintra al quali durmivano 'ntere

15

famiglie di nonni figli e niputi, mentri qualichi gaddrina o uno scecco o 'na crapa s'arrangiavano torno
torno. C'erano macari casuzze a un piano, ma erano
come 'nfilate l'una dintra all'autra, la finestra di una
certe vote si rapriva dintra alla càmmara di dormiri
della casa allato.

Don Filibertu era omo abbili. Siccome che quanno
arrivò al principio di via Calibardi erano le deci del matino, gli abbastò 'na sula taliata per farisi capace che
nei catoj ci stavano sulo fìmmine, vecchi e picciliddri.
I mascoli o erano ghiuti a travagliare o a circare travaglio. Vitti a un catojo tanticchia cchiù granni dell'altri, dintra ci stavano un vecchio assittato supra a 'na
seggia, 'na fìmmina trentacinchina che scotiva il ma-
tarazzo e quattro picciliddri, 'na fimminuzza di manco un anno e tri mascoliddri: uno di quattro anni, uno
di se' e 'u terzo di otto.

«Bongiorno» fici trasenno con un sorriso che gli
spaccava la facci da 'na parti all'autra.

La fìmmina, a vidiri il forastero, s'appagnò.

«Che voliti?».

«Ti vorria parlari» dissi don Filibertu tiranno fora dalla sacchetta tri caramelli e dannole ai tri mascoliddri.

«Da sula con vui non parlo».

«Ma non c'è ccà 'u nonno?».

«Stolito è. Nenti accapisce».

«Allura chiamati a qualichi amica. Meglio se è ma-
ritata e havi figli».

Quella niscì e s'arricampò con quattro fìmmine. Al
nonno lo portaro fora con tutta la seggia, i picciliddri

vinniro mannati a jocari strata strata. E don Filibertu accomenzò a parlari.

«Mi chiamo Filibertu Alagna e vegno da un paìsi ricco che si chiama Alagona. L'aviti 'ntiso nominari? È un paìsi ricco pirchì havi cinco minere che sunno i posti indove scavanno veni fora il surfaro, quello che sta nel porto vostro per essiri vinnuto all'estiro. Nelle minere travagliano, pagati bono, òmini granni, carusi e picciotteddri. L'etate dei carusi va dai se' all'unnici anni, quella dei picciotteddri dai dudici ai diciotto. Per ogni jornata di travaglio al caruso spettano ottantacinco cintesimi, al picciotteddro 'nveci novanta. Vi spiego come funziona la facenna. Ogni caruso o picciotteddro veni pigliato in custoddia da un picconeri, il quali ci pensa lui a darigli da mangiari, naturalmente tinennosi qualichi cintesimo dalla paga. Ma ccà veni il bello. Il picconeri, in cangio di vostro figlio, vi duna 'na cosa che si chiama soccorso morto. Soccorso assignifica aiuto e morto veni a diri che voi ve lo pigliate e non doviti arristituirglielo. Il soccorso morto consisti in ducento liri, arripeto, ducento liri, che io vi dugno mano cu' mano, e per conto del picconeri, al momento nel quali mi consegnate vostro figlio. Se minni dati dù, io vi dugno quattrocento liri, se minni dati tri io vi dugno seicento liri. Mi state accapenno? Questi sordi diventano vostri e vui ne potiti fari quello che voliti e non doviti rennìri cunto a nisciuno. Pinsaticci bono. Un caruso fino a deci, unnici anni, che vi rapprisenta 'n famiglia? Un piso. Non travaglia ed è 'na vucca da sfamari. Dannolo a mia, il caruso travaglia e

17

guadagna, non vi pisa cchiù supra alle spalli e vui v'attrovati ad aviri 'n mano tanto dinaro che manco in sogno. Parlatene a tutte le fìmmine che accanoscite e parlatene coi mariti vostri. Io sugno alla pinsioni Pace. Portatemi i figli vostri e io ve li pago subito. V'avverto: resto a Vigàta ancora tri jorni. Non facitivi scappari la fortuna».

Un dù orate appresso, della proposta di don Filibertu 'nni parlava tutta Vigàta, non sulo i bitanti di via Calibardi. La voci arrivò macari nella strata delle Cannelle indove che ci bitavano i piscatori che avivano le casuzze propio a ripa di mari. L'unica diffirenzia tra i bitanti di via Calibardi e i bitanti di via Cannelle era che questi urtimi fitivano di meno dato che avivano a disposizioni il mari per lavarisi, ma la fami era la stissa. Adelio Savatteri era un piscatori che aviva 'na varca 'n società con sò compare Lollo Miccichè, le matine nelle quali potivano nesciri pirchì non c'era malottempo, sinni partivano alle quattro, uno rimava e l'altro riggiva la riti, e sinni tornavano alla scurata. Il piscato se lo spartivano e Adelio lo portava a don Pitrino Vadalà, unico clienti sò, che glielo pagava quanto abbastava appena appena per non fari moriri di fami la famiglia che era composta dalla mogliere Zina e da dù figli, un mascolo quattordicino che di nomi faciva Giurlà e 'na fimmineddra novina, Maria.

Quella sira stissa, quanno tornò dall'aviri portato il pisci a don Pitrino, Zina contò al marito la facenna del-

18

l'omo che era vinuto ad accattari picciliddri. Era il caso di dargli a Giurlà? Adelio pinsò che la meglio era di annare a parlari della cosa con sò compare Lollo, che macari lui aviva un figlio mascolo decino. Quanno arrivò 'n casa di Lollo, seppi che sò compare e sò mogliere avivano già addeciso che il figlio l'avrebbiro dato all'omo di Alagona. Sinni tornò dubbitoso, pirchì propio non gli spirciava di non vidiri cchiù casa casa a Giurlà. Allura gli vinni di fari 'na pinsata e cangiò strata.

Don Pitrino Vadalà, che si stava mittenno a tavola per mangiarisi il pisci, s'ammostrò sorpriso.

«Che fu?».

«Haio di bisogno che vossia mi consiglia».

Aviva appena accomenzato a contare, che don Pitrino l'interrompì.

«La saccio la storia dell'omo di Alagona. Tu ci voi dari a Giurlà?».

«Non saccio chiffari, don Pitrì».

«Tu l'accanosci il travaglio di un caruso in una minera?».

«Nonsi».

«Allura te lo spiego io. I carusi travagliano notti e jorno a triccento o quattrocento metri suttaterra, dintra a certe galarie senz'aria e senza luci, accussì vascie che un omo granni ci devi caminare calato. I carusi si carricano supra alle spalli coffe chine di surfaro che pisano assà e le portano fino ai carrelli. Tutti travagliano nudi, drassutta fa un càvudo di 'nfernu. E ogni tanto qualichi picconeri piglia al caruso che gli apparteni

19

e s'approfitta delle sò carni. E po', a fini simana, quanno lo deve pagari non gli duna un sordo».

«E pirchì?».

«Pirchì dice che con quello che gli ha dato ogni jorno da mangiari fanno patta. E la sai 'na cosa? Tutti i carusi che travagliano nelle minere si consumano per il resto dell'esistenzia. L'ossa del petto e delle spalli gli addiventano torte. Cridimi, Adè, essiri galeotti è meglio assà».

Allo scadiri dei tri jorni, don Filibertu Alagna affittò quattro carretti con carrittere, ci fici acchianare supra deci picciliddri a carretto e sinni partì. Ma tra i quaranta carusi non c'era Giurlà Savatteri.

Giurlà continuò la sò vita di picciotteddro. Aviva studiato nelle scole vascie ed era arrivato alla terza limentare. Po' sò patre l'aviva arritirato dalla scola pirchì per un figlio di piscaturi era 'nutili continuari a spardari la vista supra ai libri, tanto sempri figlio di piscaturi sarebbi ristato. Però Giurlà natava come un pisci e come un pisci era capace di ristarisinni sutta all'acqua tanto a longo che quelli che non l'accanoscivano pinsavano, non vidennolo ricompariri, che era morto affucato. E macari Giurlà piscava, ma non adopirava né amo né riti, usava sulo le sò mano. Si mittiva a natare, sinni ghiva cchiù luntano che potiva e po' si calava suttacqua. Appena che vidiva passari un pisci bono, scattava come 'na fleccia e l'agguantava. Il pisci circava di scappari, ma Giurlà l'ammazzava muzzicannogli la testa e l'infilava dintra a 'na speci di cistino che portava al collo. E quello era il mangiari della famiglia, accussì Adelio il sò piscato se lo potiva vinniri tutto.

Il jorno vinti di fivraro Adelio e Lollo niscero con la varca. Ma prima di nesciri erano stati dubbitosi assà. Non si fidavano di quella jornata, c'era un vento tradimentoso, da ponenti arrancava 'na nuvolaglia nìvura.

«Niscemo» dissi Lollo. «E se videmo che 'u tempo si metti propio a malo, tornamo di cursa».

Il fatto fu che non ficiro a tempo a tornari. Il cangiamento vinni accussì 'mproviso che puro rimanno in dù alla dispirata, non arriniscero ad arrivari a ripa. A mità strata la varca, pigliata di traverso da un cavaddruni, s'arrovesciò. Adelio e Lollo ce la ficiro per qualichi tempo a ristarisinni aggrappati, doppo fu la violenza delle ondate a obbligarli a lassare la presa e a mittirisi a natare. Arrivaro a ripa che non avivano cchiù la forza di sciatare, ma la varca era persa.

«Pacienza» dissi Lollo. «Minni accatto una nova».

«E cu te li duna i sordi?».

«Io l'haio, i sordi. Te lo scordasti che don Filibertu mi desi ducento liri?».

«Maria, vero è! Accussì potemo…».

«Un momento» fici Lollo. «Però le cose ora sunno cangiate».

«Pirchì?».

«Pirchì la varca nova l'accatto coi sordi mè, mentri l'autra l'avivamo accattata mità tu e mità io».

«Embè?».

«Scusami, ma tu la tò mità come me la paghi?».

21

Si misiro d'accordo che ogni jorno, appena Adelio pigliava i sordi della vinnita del pisci, ne dava la mità a Lollo. E accussì il guadagno che Adelio portava, non abbastò cchiù per tri pirsone. Mangiavano sempri il pisci che piscava Giurlà, ma la pasta se la facivano squadata pirchì non avivano i sordi per la conserva e la sira sinni stavano allo scuro per sparagnare il pitroglio della lampa.

Un jorno però Adelio glielo dissi a don Pitrino.

«Vossia sbaglio mi fici fari».

«Io?! E pirchì?».

E Adelio gli contò la storia della varca.

«E se io dava a Giurlà all'omo di Alagona, ora aviva ducento liri e mi potiva accattare mezza varca» concludì.

Don Pitrino non gli arrispunnì nenti. Ma la sira appresso gli dissi:

«Dumani portami a tò figlio. Lo voglio accanosciri».

Sò matre Zina passò mezza jornata a tagliare i capilli a Giurlà e ad aggiustarigli il vistito meno strazzato che aviva. Ma da don Pitrino Giurlà ci dovitti annare a pedi scàvusi, pirchì l'unico paro di scarpi che possidiva non gli trasivano cchiù.

Don Pitrino se lo taliò e ritaliò e po' gli fici 'na dimanna stramma:

«Tu ci sai stare a longo sulo?».

Giurlà se la pinsò tanticchia e po' arrispunnì:

«Quanno vaio suttacqua sulo sugno. E ci volissi stari anni».

Allura don Pitrino fici ad Adelio la sò proposta.

Due

Don Pitrino Vadalà era arrivato a Vigàta se' anni avanti con la mogliere. Era, secunno quanto si diciva 'n pàisi, ricco sfunnato, ma nisciuno sapiva che faciva e d'unni viniva. Si era accattato la villa del baruni Lumia, fora pàisi ma squasi a ripa di mari, e lì stava senza nesciri mai. Le dù cammarere che si era portate appresso annavano ad accattare tutto quello che abbisognava e per la missa della duminica providiva un parrino che la diciva nella cappelluzza che c'era già nella villa. Si contava che don Pitrino era vinuto a Vigàta pirchì i medici gli avivano ditto che per la malatia che aviva abbisognavano aria di mari e gran mangiate di pisci. Perciò Adelio l'ascutò parlari curioso e ammaravigliato.

«Io» dissi don Pitrino «vegno da un pàisi che si chiama Castrogiovanni. E lì tegno terre assà, case, vacche, cavaddri, picore e crape. Siccome che un mè camperi mi mannò a diri che gli abbisognava un picciotto, io ho pinsato a Giurlà».

«E che dovrebbi fari mè figlio?» spiò Adelio.

«Dovrebbi abbadare alle crape».

Ad Adelio gli vinni di ridiri.

«Ma Giurlà pò abbadare ai pisci e no alle crape! Picciotto d'acqua è!».

«Non ci voli nenti ad addivintari picciotto di terra. E po' arrifletti: tu lo volivi dari all'omo di Alagona per farlo stari jorno e notti suttaterra, se lo duni a mia 'nveci sinni starà sempri all'aria aperta. Comunqui io lo pago 'na lira e mezza al jorno, comprisa la duminica e le festi cumannate. Gli passo a gratis pani e tumazzo. La duminica gli spetta o un piatto di maccu o un piatto di caponatina e appresso agneddro arrostuto. Latti sinni pò viviri quanto 'nni voli. Pinsatici e datimi 'na risposta prima del quinnici di marzo che veni 'u camperi. Se è sì, quel jorno stisso Giurlà sinni parti».

«Ma quanto tempo devi stari luntano?».

«Minimo tri misi. Po' addecidi lui se voli tornari o ristari. Ah, se è sì, addotate a Giurlà di 'na maglia di lana, di 'na coperta e di un paro di scarpi. Da quelle parti la notti ci fa friddo».

«Ora 'nni vajo a parlari con mè mogliere» fici Adelio. «E dumani stisso ci damo la risposta. Voscenzabinidica».

Taliò a sò figlio che non aviva mai rapruto vucca mentri don Pitrino faciva la proposta e Giurlà dissi:

«Voscenzabinidica».

Patre e figlio ficiro per nesciri.

«Ah» dissi don Pitrino. «Una delle mè cammarere devi tornarisinni al paìsi. A tò mogliere ci spercia di viniri a fari la cammarera ccà?».

«Ennò!» fici arrisoluta Zina. «Se io vaio a fari la cammarera da don Pitrino, che bisogno c'è che Giurlà sinni parti?».

E questo vero era. Adelio e Zina parlaro tutta la notti. Non era meglio se Giurlà affirrava a volo l'occasioni? Criscenno, che travaglio avrebbi potuto attrovare 'n paìsi? 'Nveci, guadagnanno tutti e tri, la mezza varca l'avrebbiro potuta finiri di pagari prima e cchiù facili. E capace che Adelio arrinisciva macari ad accattarisinni una tutta 'ntera!

All'indomani matino che ancora faciva scuro, Adelio arrisbigliò a Giurlà.

«Avemo addeciso che parti. Stasira glielo dico a don Pitrino».

«Come volite voi».

Ma 'ntanto abbisognava attrovare subito i sordi per accattare quello che sirviva a Giurlà, al quinnici di marzo ammancavano setti jorni. Allura Zina fici 'na bona pinsata, s'impignò la collana e l'oricchini che sò zia le aviva lassato in retità e non sulo arriniscì ad accattare la coperta pisanti e le scarpi, ma macari dù maglie, dù mutanne e quattro para di quasette di lana.

Che sinni sarebbi partuto, Giurlà lo dissi ai dù amici sò, Pippo e Fofò, che come lui erano picciotti di mari, sulo che non avivano la stissa bilità di pigliari i pisci con le mano.

«E che vai a fari?» spiò Pippo.

«Vaio ad abbadare alle crape».

I dù prima lo taliaro strammati, po' si misiro a ridiri.

«Chi aviti da arridiri?» spiò Giurlà.

«Fofò» dissi Pippo accomenzanno a fari tiatro «non lo senti che fetu strammo?».

«Sì» arrispunnì pronto Fofò. «Che fetu è?».

«A mia pari di crapa. Ci devi essiri qualichi craparo nelle vicinanze».

Giurlà s'arraggiò e gli detti un pugno supra a 'u petto. Pippo l'aggrampò con le dù mano e circò di mittirgli la testa suttacqua.

Maria, quant'era bello fari la lotta a mari!

La notti prima del quinnici l'unica della famiglia a pigliare sonno fu Maria, Zina se la passò 'nveci a chiangiri, Adelio, che aviva addeciso di non annare a piscare per accompagnare a sò figlio, sinni stetti ad arramazzarisi dintra al letto, mentri Giurlà, con l'occhi sbarracati, si sintiva tutto càvudo come per una botta di fevri e tintava, senza arrinisciricci, d'immaginarisi la vita che l'aspittava. Alle unnici Zina pigliò la coperta di lana, ci misi dintra la robba di Giurlà e la chiuì a truscia. 'Na mezzorata appresso, quanno Adelio e Giurlà stavano per nesciri, Zina dissi:

«Aspittatimi che vegno macari io».

«Ci voglio viniri puro io» dissi Maria.

«No» fici Zina. «Tu resti, arrizzetti la casa e pripari il mangiare».

E accussì Maria accapì che era addivintata granni.

Alla firmata della correra per Montelusa c'erano già il camperi don Sisino e la cammarera che sinni tornava al sò pàisi e che di nome faciva Zuda.

Aviva 'na grossa baligia. Aspittaro 'n silenzio. Po' la correra arrivò.

Adelio pruì la truscia al bigliettaro che la misi nel bagagliaro, don Sisino fici l'istisso con la baligia di Zuda, Zina non arrinisciva a lassare la mano di Giurlà, allura Adelio li staccò, detti 'na vasata 'n testa a sò figlio e l'ammuttò per farlo acchianare.

A Montelusa scinnero, annaro alla stazioni e pigliaro 'u treno per Castrogiovanni. Mai Giurlà era stato supra a un treno. Maria quanto corriva! E che battarìa che faciva! E tutto 'nzemmula, dal finistrino ch'era mezzo aperto, vitti il mari luntano. Si susì di scatto, s'affacciò.

E ristò a taliarlo 'nfatato. Ma come? Il mari che quanno ci natava dintra gli pariva 'nfinito ora era addivintato 'na striscia che si cunfunniva con l'orizzonti e via via si faciva sempri cchiù stritta, sempri cchiù sottili? Ma com'era possibbili? E mentri se lo spiava, sintiva che il cori gli si era mittuto a corriri chiossà del treno.

Po' la campagna scancillò il mari. Allura si riassittò.

«Che fai, chiangi?» gli spiò Zuda.

«No, mi trasì nell'occhi qualichi graneddro di carbone» arrispunnì.

Era vero. Ma era macari 'na mezza farfantaria. Pirchì aviva accomenzato a chiangiri prima.

Arrivaro alla stazioni di Castrogiovanni che il soli sinni stava calanno. A Zuda era vinuto a pigliarla con un carretto sò figlio per portarisilla in una campagna dei paraggi.

Fora dalla stazioni, don Sisino detti la truscia a Giurlà.

«Portatilla tu».

«Ma 'u paìsi unn'è?».

«Isa l'occhi».

Giurlà isò l'occhi, ma dovitti isare macari la testa per vidirlo, a 'u paìsi, 'n cima 'n cima a 'na muntagna tanto àvuta che faciva spavento. Si sintì moriri il cori.

«Dovemo acchianare fino a là supra?».

«Non t'apprioccupari, la mè casa è a mezza costa».

Doppo un quarto d'ura che caminava, si sintì stanco. Non era per il piso della truscia, non era per la strata tutta in acchianata, era l'aria che gli dava stanchizza. Era un'aria che mai aviva respirato, asciutta, frisca, liggera. E dissapita. A liccarisi le labbra, non si sintiva 'nfatti quella punta di salato che c'era nell'aria di mari. Ed era un'aria che faciva smorcare un pititto granni, si sintiva affamato come se erano jorni che non mangiava.

Po', come 'u Signuruzzo vosi, arrivaro. La casa di don Sisino era a un piano, pulita e in ordini. La mogliere di don Sisino era 'na cinquantina sicca sicca che pariva 'na sarda salata. Si chiamava Assunta e parlava sempri. Mentri conzava la tavola, contò a Giurlà che aviva quattro figli, dù mascoli e dù fìmmine, tutti maritati, e che aviva macari quattro niputi.

«'N conclusioni» si lamentiò «a malgrado di 'sta bella famiglia, io minni staio sula pirchì ognuno de' mè figli havi la sò casa e Sisino sinni parti la matina all'arba e torna la notti».

Non aviva mai mangiato pasta col suco di porcu e gli

piacì assà. E non parlamo della sasizza! Alla fini, don Sisino dissi:

«Ora 'nni annamo a corcare pirchì dumani a matino dovemo arrisbigliaricci presto».

«Ma le crape non stanno ccà?» spiò Giurlà.

«Ma quanno mai!».

Giurlà si zittì. Ma indove le tinivano 'ste crape? Aviva 'n'autra cosa da diri, ma s'affruntava a dirla, però non è che potiva tinirisilla a longo.

Doppo tanticchia s'addecisi e parlò con una voci accussì vascia che Assunta non l'accapì.

«Devo fari i mè bisogni».

«Eh?».

«Devo fari i mè bisogni».

«Nesci fora e falli. Hai tutta la campagna a disposizioni».

Appena che fu fora dalla porta, un addrizzuni di friddo lo fici trimari tutto.

C'era scuro fitto. Non potiva certo farla davanti alla casa, perciò tastianno con la mano muro muro, firriò fino a darrè e si vinni ad attrovare 'n mezzo all'erba. Allura si calò i cazùna e s'acculò. E ora? Come faciva a puliziarisi? Era bituato a farla a mari, ci pinsava l'acqua. Ma ccà? Siccome che era un picciotto sperto, sempri tastianno con le mano attrovò 'na para di petre firrigne, lisce lisce. Si puliziò con quelle. Tornò 'n casa. Gli avivano priparato 'na speci di sacco chino di paglia con una coperta supra.

Non si spogliò. Faciva troppo friddo. Ma a malgrado della granni stanchizza, non arrinisciva a chiuiri occhio.

Era come se gli ammancava qualichi cosa. Chi cosa? Il runfuliare di sò patre? La respirata liggera liggera di sò matre? O le paroli stramme di Maria che spisso parlava in sonno? E tutto 'nzemmula accapì: gli ammancava la rumorata del mari che era come 'na canzuna che a picca a picca a picca lo faciva addrummisciri. Allura si 'nfilò 'na mano tra la cammisa e il petto e cavò fora le dù conchiglie che si era portato appresso. Se le misi sutta al naso e le sciaurò. Sì, mantinivano ancora aduri di mari. E accussì, finalmenti, arriniscì a pigliari sonno.

Certo, macari sò patre si susiva tanticchia prima delle quattro del matino per annare a piscari. E lui lo sintiva che si cataminava a leggio a leggio càmmara càmmara per non dari fastiddio a quelli che durmivano, però 'na cosa è sintiri a uno che s'arrisbiglia e 'n'autra cosa è essiri arrisbigliati e dovirisi susiri. Giurlà era completamenti 'ntordunuto, manco arrinisciva a capacitarisi indove s'attrovava. Po' dintra alla càmmara vitti alla signura Assunta che gli aviva priparato un cicarone di latti càvudo e allura s'arricordò.

«Unn'è don Sisino?».

«Fora che t'aspetta».

Si vippi 'n prescia il latti e niscì. E di subito l'aria fridda del matino gli tagliò la facci. La signura Assunta lo seguì tinenno 'n mano un lumi a pitroglio. A quella splapita luci vitti che nello spiazzo davanti alla casa ci stava un carretto 'mpaiato e un omo 'ntabbarrato, che doviva essiri il carritteri, il quali stava caricanno la sò truscia.

«Acchiana».

Montò supra al carretto, s'assistimò tra la truscia e dù sacchi che dovivano essiri chini di favi. La signura Assunta sinni trasì e chiuì la porta.

«Ah!» fici il carritteri che 'ntanto era acchianato macari lui.

La vestia partì.

«E don Sisino?».

«È annato avanti. Ci aspetta al bivio».

«E quanto ci voli per arrivari al bivio?».

«Un'orata».

Ancora faciva scuro fitto e si era livato un vinticeddro firoci che pariva fatto di centumila cuteddri che puncicavano la peddri. Giurlà 'nfilò pedi e gamme sutta alla truscia e s'appuiò con le spalli a un sacco. Accussì era cchiù arriparato dal friddo. E tutto 'nzemmula 'u carritteri attaccò a cantari a mezza voci:

Lu mè cori non canta per amuri
canta per la sbintura d'a mè vita,
ch'è comu terra senza rosi e sciuri,
fatta sulo di petre e di crita…

Il carritteri aviva 'na voci malincuniosa che ti pigliava 'n mezzo al petto.

Sintennolo, e sintennosi cullari dal movimento del carretto, a picca a picca Giurlà s'addrummiscì.

«Giuvanò, arrisbigliati» fici il carritteri scotennogli 'na spalla.

31

Giurlà raprì l'occhi e di subito li richiuì. 'Na lama di soli l'aviva accicato.

Po' s'azzardò a isare le palpebri a rilento, ma per ta- liare dovitti mittirisi 'na mano a pampera supra all'oc- chi. Pirchì ccà macari il soli era diverso, la sò luci era cchiù forti assà e il riverbiro annigliava la vista.

Il carritteri stava parlanno con don Sisino che era a cavaddro e tiniva un dù botti a tracolla. Il camperi vit- ti che Giurlà era vigliante e gli dissi:

«Scinni dal carretto e monta».

Scinnì e si firmò 'mparpagliato. Unni doviva mon- tare? Don Sisino accapì il sò dubbio.

«Mettiti darrè a mia» dissi livanno il pedi da 'na staffa.

'Na palora! Come si faciva ad acchianare supra a un cavaddro? Giurlà s'affirrò con le dù mano alla seddra e tintò di 'nfilare il pedi nella staffa lassata libbira. Ma non arriniscì a sollivari bastevolmenti la gamma.

Dovitti aiutarlo il carritteri. Ma macari accussì non ce la fici ad acchianare.

Allura don Sisino si calò di lato, l'agguantò per la giac- chetta e se lo tirò.

«Teniti a mia».

Giurlà misi le vrazza torno torno alla vita del cam- peri.

«Salutamu» fici don Sisino.

«Vasamolemani» arrispunnì il carritteri livannosi la coppola.

Don Sisino detti 'na tirata alla briglia e il cavaddro si misi a caminare.

«E la mè truscia?» gridò Giurlà.

Quelli se l'erano scordata supra al carretto!

«'U carrettu» gli spiegò don Sisino «fa 'n'autra strata. Oj doppopranzo te la fanno aviri».

Stettiro ad acchianare e a scinniri fino a quanno il soli arrivò a essiri 'n mezzo al celo. A Giurlà facivano 'mpressioni i colora, ccà il virdi era di un virdi che mai aviva viduto prima, 'u russo e il giallo di certi sciuri erano di un russo e di un giallo che parivano volirlo essiri di pripotenza. Gli dolivano le 'ncinaglie. A stari con le gamme accussì larghe, e con l'arriminata del cavaddro, tutta la parti vascia del sò corpo sfricava contro il ligno della seddra ed era addivintata 'nduluruta. Po' arrivaro al bordo d'un laco stritto e longo che aviva l'acqua che pariva un pezzo di celo. Don Sisino scinnì e aiutò a Giurlà a smontari.

«Sei arrivato» dissi riacchiananno supra al cavaddro. «Cchiù tardo passa a pigliariti il craparo che si chiama Damianu. Ti saluto».

E sinni partì. Giurlà ristò a taliarlo fino a quanno non lo vitti scompariri.

I nerbi delle gamme dovivano essirisi 'ntricciati come canistri pirchì per almeno cinco minuti boni doppo che don Sisino sinni era ghiuto non arriniscì a cataminarisi, a fari mezzo passo. Potiva arriminare le vrazza e il busto, questo sì. Ma ci 'nn'erano armàli serbaggi da quelle parti? Pirchì se un armàlo arraggiato l'assugliava, lui non avrebbi potuto manco scappari. Si sarebbi viduto mangiare vivo. E per la prima vota da quanno era partuto, si scantò. Non per il fatto d'essiri ristato sulo, che a quello c'era bituato bastevolmenti, ma pirchì non aviva modo d'addifinnirisi. Po' si calò i cazùna adascio e, girato di tri quarti, si taliò il darrè.

A forza di stricuniare contro la seddra si era tutto arrussicato e in qualichi parti la pelli non c'era cchiù. Abbrusciava come foco. Provò ad allungare 'na gamma e vitti che ci arriniscì. Fici dù passi. I nerbi gli si erano novamenti sciugliuti.

Allura si misi nudo, tanto torno torno non c'era anima criata se non certi aciddrazzi nìvuri e granni che ogni tanto si calavano 'n mezzo a 'na troffa d'erba serbaggia, e trasì dintra al laco. Ebbi la 'mpressioni che l'acqua gli aviva tagliato i pedi, tanto era fridda. Anzi no, non era fridda, era ghiazzo liquito. Fici appena un passo e s'attrovò 'mmediato con l'acqua al collo.

Quello non era come il mari del sò pàìsi che prima che ti arrivava alle asciddre dovivi fari minimo 'na vintina di passi! L'unica era mittirisi a natare, macari per non moriri trasformato in una lastra di ghiazzo. Si detti 'na spinta, ma il sò corpo, 'nveci di ristari a galla, sinni calò.

In un vidiri e svidiri s'addunò che sinni stava scinnenno verso il funno come se era di petra. I sò occhi accomenzaro a vidiri che stava per essiri affirrato dai rami cchiù àvuti d'una speci di foresta sottomarina. Se ci finiva dintra, non ne sarebbi mai nisciuto. Quella era 'n'acqua che non ti tiniva, non ti riggiva. Si scantò, certo, ma non persi la testa pirchì era troppo bituato al mari. Detti tri vrazzate di forza e s'arritrovò con la testa di fora. Sulo che, per mantinirisi a galla, abbisognava natare sempri, masannò tinni scinnivi. Tirò fora la lingua, si liccò le labbra. Era acqua duci, che si potiva viviri.

Tre

Sinni stetti tanticchia a 'mmoddro per puliziarisi e po' sinni tornò a ripa.

Il soli era accussì càvudo che tempo 'na decina di minuti si era asciucato e potì rimittirisi i vistiti.

A passari da 'na parti all'autra del laco, tagliannolo 'n mezzo natanno a vilocità, carcolò che ci avrebbi 'mpiegato un quarto d'ura abbunnanti, ora come ora che era ancora spratico d'acqua duci. Si stinnicchiò 'n terra.

Torno torno non c'erano che muntagne. E non si sintiva la minima rumorata, fatta cizzioni del gra gra che facivano l'aciddrazzi nìvuri.

E tutto 'nzemmula accapì che era la stissa cosa di quanno si mittiva a fari 'u mortu 'n mari, a panza all'aria a taliare il celo.

Ccà sinni stava a galleggiari supra all'erba 'nveci che supra all'acqua e torno a lui 'nveci che acqua c'era terra, ma 'u silenzio era lo stisso, ddrà erano i gabbiani a fari il verso sò, ccà 'st'aciddrazzi nìvuri...

Po' sintì 'na voci:

«Ehi, tu, forza!».

Si voltò. Era un omo àvuto e grosso con una gran varba russigna che a malgrado del càvudo che faciva por-

tava 'na speci di giubboni fatto di pelli di crapa. Da 'na
spalla gli pinnivano appise dù borracce. Si tiniva con la
mano mancina un sacco supra all'autra spalla, con la mano dritta riggiva un vastone longo tagliato da un ramo.

«Vossia è Damianu?».

«Sì. E tu come t'acchiami?».

«Giurlà».

«Quanti anni teni?».

«Quattoddici».

«Ne hai pititto?».

«Sissi».

L'omo posò il sacco 'n terra, cavò 'na pagnotta, la
tagliò a mità con un cuteddro che tirò fora dalla sacchetta e la pruì a Giurlà. Subito appresso tagliò 'na feddra di tumazzo da 'na forma 'ntera e gliela desi.

«Mangia caminanno appresso a mia. Se ti veni siti,
me lo dici».

Possibbili che da quelle parti si acchianava sempri?
Non finivano mai le muntagne? Doppo 'na mezzorata che arrancavano, e lui aviva finuto di mangiare, tra
l'acchianata e il salato del tumazzo a Giurlà gli smorcò
'na gran siti.

«Voglio viviri».

Damianu si firmò, si voltò.

«Acqua o vinu?».

«Vinu».

Sò patre sinni viviva un sulo bicchieri alla sira mentri mangiava e a lui, che lo voliva provari, glielo aviva
sempri nigato.

«Ancora no, devi crisciri».

Va a sapiri pirchì, tutto 'nzemmula si era sintuto cri-sciuto. Damianu gli pruì 'na borraccia, Giurlà se la portò alle labbra e vippi. Il primo muccuni gli parse amaro e stava per risputarlo quanno il sapori nella vucca di col-po cangiò, addivintò 'na cosa profumata e càvuda, 'na carizza di villuto, gli parse di starisi vivenno 'na rosa. Gli piacì assà e tirò 'n autri dù muccuna.

«Basta» gli dissi Damianu stinnenno la mano per ria-viri la borraccia.

Ripigliaro a caminare. Appresso arrivaro a 'na pia-na larga e longa, cummigliata di un'erba che arrivava a tanticchia meno di mezza gamma.

«Ccà semo a tri quarti di monti Giulfo» dissi Damia-nu «che è àvuto setticentosissanta metri».

Nella latata mancina della piana, in funno in funno, indove principiava la pareti d'una muntagna, c'era uno spazio grannissimo tutto recintato con rami d'àrboli 'n-tricciati. 'Na parti del recinto, che era àvuto squasi quan-to a Damianu, si potiva rapriri e chiuiri. Dintra, ci sta-vano minimo un tricento crape che facivano un burdel-lo di bee bee. Allato all'apirtura del recinto c'era 'na speci di capanna fatta macari issa di rami d'àrbolo e cum-migliata tutta di paglia.

«Quelle» dissi Damianu «sunno le crape alle quali do-vrai dare adenzia tu».

E come avrebbi fatto a dari adenzia a tricento cra-pe lui da sulo?

«E quella» continuò Damianu indicanno la capannuz-za «d'ora in po' è la tò casa».

«Ma 'ste crape sunno tutte di don Pitrino?».

Damianu si misi a ridiri.

«Don Pitrino di crape 'nn'havi a tinchitè, ma è sulo la mità di tutto. Chista è la mannara mediana! E po' ci sunno picore, cavaddri...».

«E chi ci abbada alle altre crape?».

«Crapari come a tia e a mia».

«E vossia a quante crape abbada?».

«Io sugno il surviglianti di tutte le mannare. Senti, nicarè, io stasira e stanotti resto ccà. Dumani a matino porto le crape a pasculiari e tu veni appresso a mia accussì t'impari il misteri».

La prima cosa che vitti trasenno dintra alla capanna fu la sò truscia. Don Sisino era stato di palora, qualichiduno gliela aviva portata. C'era, 'n terra, un sacco largo e granni chino di paglia che doviva essiri 'u lettu, 'u pagliuni, e po', come tavolino, un pezzo di tronco d'àrbolo. Ci stavano macari dù sgabelli fatti di rami. Supra c'era un lumi a pitroglio, di quelli che si mittivano sutta ai carretti. 'Na lanna di pitroglio di riserva stava allato a uno sgabello. Dal tetto pinnivano un otri vacante, un sacco con dintra qualichi cosa e 'na borraccia. Autri tri sacchi vacanti stavano supra al sacco che faciva da lettu. E che allato aviva 'na cascia chiusa.

«Quella cascia» dissi Damianu «è di Ramunnu che l'ha lassata ccà».

«Cu è Ramunnu?».

«Il craparo che c'era prima di tia».

«Pirchì sinni ghì?».

«L'hanno chiamato sordato».

«E nella cascia che c'è?».

«Nun lo saccio. Robba di Ramunnu. Aspetta che ti dugno le cose di mangiare».

Tirò fora dal sò sacco tri scanate di pani di un chilo e mezzo l'una, dù forme di tumazzo, un grosso cartoccio di aulive e passuluna, un sacchiteddro di sali e posò tutto supra al tronco.

«Abbada al sali. Alle crape ci piace assà».

«Indove la metto 'sta robba?».

«Tira il sacco che penni».

Giurlà tirò il sacco e quello sinni scinnì. Dintra ci stavano un piatto e un cicarone fatti di ligno e un cuteddro come a quello di Damianu.

«Mettici le cose da mangiare».

Giurlà ce l'infilò.

«Ora tira quella cordiceddra che c'è allato al sacco».

Giurlà la tirò e il sacco sinni acchianò.

«Doppo mangiato devi sempri isare 'u sacco, masannò qualichi armàlo ti mangia tutto. E attento sempri al lumi quanno è addrumato. Basta nenti e ogni cosa va a foco».

Sinni niscì, lassanno il sò sacco ancora mezzo chino dintra alla capanna.

Giurlà raprì la truscia, tirò fora la robba pisanti che gli aviva accattata sò matre e la misi dintra a uno dei sacchi vacanti. Appresso stinnì la coperta di lana supra al pagliuni. Donchi, per tri misi minimo la notti avrebbi dovuto dormiri là dintra. Si sintì cuntento. Quante vote avivano flabbicato capannuzze di canne con Fofò e Pippo! Ecco, sulo che ora non era cchiù un joco. Sò patre e sò matre l'avivano pinsata giusta: a quest'ora, se lo davano all'omo di Alagona, sinni sarebbi stato a quattrocento metri suttaterra, a travagliare assufficanno senza né luci né aria.

«Giurlà! Veni ccà!».

Niscì fora. Si taliò torno torno ma Damianu non era a vista.

«Allura? Veni ccà!».

Il craparo era dintra al recinto, 'n mezzo alle crape. S'avvicinò alla trasuta che era tinuta ferma da un filo di ferro.

«Trasi e chiui».

Raprì, trasì, rigirò il filo di ferro. Accomenzò a caminare 'n mezzo alle vestie che non sulo non provavano nisciuno scanto per la sò prisenzia, ma anzi pariva che lo facivano apposta a mittirisi davanti a lui per non farlo passari. Quanno gli arrivò allato, vitti che Damianu tiniva 'na crapa per un corno, ma quella non aviva nisciuna 'ntinzioni di starisinni ferma.

«Mettiti davanti a iddra, afferrala per le corna con tutta la forza che teni e non la fari cataminare».

«E se ci fazzo mali?».

«Se non ci stai attento, quella fa mali a tia 'ncornannoti».

Non sapiva d'aviri tutta 'sta forza. Fatto sta che la crapa fu obbligata a mittirisi 'n ginocchio.

«Bravo!» gli fici Damianu.

E accomenzò a toccari la panza della crapa, a raprir-

41

le di forza la vucca per taliare dintra, a 'nfilarle un dito nel culu, a mungirla.

«Che ha?» spiò Giurlà.

«Non mi persuade. Mi scanto che è malata».

«E se è malata?».

«Intanto la portamo fora dal recinto. C'è pricolo di contagio».

La taliò e la smaneggiò ancora tanticchia, po' l'affirrò per un corno e se la strascinò fora. Mentri Giurlà richiuiva il recinto, Damianu legò con una corda la crapa a un palo vicino alla capanna.

Il soli sinni calumò 'mproviso alle spalli di 'na muntagna e di subito si fici scuro. Damianu trafichiava darrè alla capanna e Giurlà annò a vidiri che faciva. Ci stava, 'n terra, un circolo di petri che aviva, da 'na parti e dall'autra, un paletto curto di ferro e supra al quali ci stava uno spito che si potiva fari firriari. Damianu aviva pigliato 'na poco di rami sicchi, li aviva mittuti dintra al circolo di petri e ci aviva dato foco.

«La sai fari la bragi?».

«Sissi».

Damianu sinni ghì. Quante vote si era arrustuto le sarde nella pilaja con Fofò e Pippo! Sulo che le sarde non si potivano 'nfilari con lo spito e si mittivano ad arrustiri supra a un canale di quelli che servino per cummigliare i tetti delle case. Tornò Damianu con un cuniglio morto sparato, aviva ancora sangue sicco nel coddro. La panza era aperta, si vidi che gli avivano livato le 'ntragnisi per non farlo fetiri. A tracolla si era mittuto 'na borraccia.

«A chisto gli sparò a volo don Sisino e me lo mannò in rigalo».

Tirò fora il cuteddro, s'acculò e accomenzò a livari la pelli al cuniglio. Era abbili e doppo tanticchia il cuniglio addivintò rosa come a un picciliddro appena nasciuto. Pruì la pelli a Giurlà.

«Appennila bona a un ramo del recinto».

«A chi servi?».

«Quanno veni 'u friddo vero, te la metti supra alle scarpi e ti teni càvudo».

Oramà era squasi scuro fitto. Quanno tornò, Damianu aviva 'nfilato il cuniglio nello spito e lo faciva firriari a lento supra alla bragi ardenti.

Giurlà si mangiò la sò parti con vero piaciri, l'armàlo era stato arrustuto al punto giusto. Alla fini, Damianu gli pruì la borraccia col vinu e gli pirmisi di vivirisinni cinco grossi muccuna.

«Le crape non sunno picore» dissi tutto 'nzemmula il craparo.

E chisto lo saccio macari io, pinsò Giurlà.

«Alle crape piaci starisinni ognuna per conto sò, le picore 'nveci sinni stanno sempri tutte 'nzemmula e unni va una vanno tutte l'autre. Ogni crapa si va a circari il sò mangiari, s'arrampica muntagna muntagna fino a che non attrova quello che le piaci. Le picore si scantano del cani, le crape non si scantano manco dell'omo. Quanno devi farle tornari allo stazzu, ci voli abbilità e pacienzia, ci 'nn'è sempri qualichiduna che sinni scappa e tu devi corrirgli appresso facenno voci

43

e tirannole pitrate. Le crape non hanno tutte lo stisso carattere, certe sunno bidienti, certe ti fanno disperari. Doppo tanticchia che ci stai 'nzemmula, t'impari a canoscirle a una a una».

La bragi si era astutata. Ma per prudenzia, Damianu 'nfilò un pedi dintra al circolo e l'arridducì a cinniri. Po' s'alluntanò per fari i sò bisogni. Tornò.

«Annamo».

Giurlà gli annò appresso. Appena dintra alla capanna, Damianu addrumò il lumi a pitroglio, pigliò la coperta e la pruì a Giurlà.

«'U pagliuni spetta a mia».

«E io indove dormo?».

«'N terra» fici quello tiranno fora da sutta al sacco dù pelli di crapa.

Giurlà niscì per libbirarisi. Quanno tornò dintra, Damianu sinni stava stinnicchiato supra al sacco cummigliato dalle pelli di crapa.

«Doppo che ti sei spogliato, astuta il lumi» dissi Damianu.

Ma Giurlà non si spogliò. Astutò il lumi, si corcò 'n terra e s'arravugliò nella coperta.

Doppo un'orata, ancora non arrinisciva a pigliare sonno. Damianu runfuliava accussì forti che lui si sintiva 'ntronare le grecchie. Quanno non ne potì cchiù, niscì fora dalla capanna e annò a corcarsi a 'na certa distanzia dalla crapa malata. Passati sì e no cinco minuti, sintì che la vestia faciva chiano chiano:

«Bee... bee...».

Si stava lamentianno? O lo chiamava? Che voliva da lui? Accapì che la crapa, tiranno al massimo la corda, gli si era avvicinata cchiù che potiva.

«Bee... bee...».

Possibbili che voliva cumpagnia? Si susì, annò allato alla crapa, le carizzò il coddro. La vestia si fici carizzari, muta. Ma appena che livò la mano, quella ripigliò a fari un bee cchiù lamentioso di prima.

Allura affirrò la coperta e la stinnì supra di lui e supra alla crapa. La quali gli si agginocchiò vicina vicina e non chiangì cchiù.

Nel sonno, senza addunarisinni, si doviva essiri scuponato mittenno la testa fora pirchì vinni arrisbigliato da qualichi cosa di vagnato che gli toccava la fronti, l'occhi, il naso. Un armàlo! Si susì scantato addritta e alla primissima mezza luci dell'alba si addunò che era stato un cani a sciaurargli la facci. Un cani tutto nìvuro, la testa grossa, la vucca aperta che lassava travidiri i denti pizzuti. La crapa era tornata vicina al palo. Ristò immobili fino a quanno Damianu niscì dalla capanna e gli dissi:

«Non ti scantare, è 'u cani di ccà, si chiama Piru. Porta dintra la coperta. Piglia 'u saccu nico e metticci dintra 'u mangiare che t'abbisogna pirchì ccà tornamo stasira».

Giurlà si tagliò mezza scanata di pani e un pezzo di tumazzo e l'infilò dintra a un sacchiteddro di tila, po' pigliò la borraccia e il cuteddro e niscì.

Damianu stava a maniare la crapa che aviva dormuto 'nzemmula a lui.

«Quant'havi 'sta crapa?».

«Squasi dù anni, a ottobriro po' fari mittirisi prena».

«E quanti crapetti farà?».

«Chista razza ne fa dù. Mi pare che 'sta crapa non havi nenti. Comunqui, per prudenzia, lassamola ancora ccà».

«E che mangia?».

«Ccà c'è tutta l'erba che voli».

«Ma se ccà ci sta l'erba, pirchì portamo le crape in un autro posto?».

«Pirchì chist'erba se la mangiano sulo per nicissità, non ci piaci tanto».

Damianu annò a rapriri la staccionata e le crape accomenzaro a nesciri.

Quanno foro tutte fora, Giurlà s'addunò che darrè alla granni staccionata ci 'nn'era 'n'autra assà cchiù nica e dintra ci stavano quattro grosse crape con la varba cchiù longa delle altre, il corpo massiccio e le corna fatte a sciabola.

«Sunno i becchi» gli spiegò il craparo «i mascoli delle crape. Non gli piaci stari nella mannara con le fìmmine. Se vidi che i becchi si pigliano a cornate, lassali fare. Fanno la lotta per stabbiliri 'u cchiù forti».

'Ntanto le crape stavano diriggennosi verso la muntagna vicina allo stazzo.

«Vidi? La strata la canoscino, lo sanno indove devono annare a pasculiare».

Si misiro a caminare appresso alla mannara, Damianu e Piru davanti, Giurlà darrè.

Appena che la crapa attaccata al palo accapì che la stavano lassanno sula, si misi a fari un bee dispirato. Quattro o cinco vestie si firmaro e le arrispunnero. Allura Damianu li punzicò col vastuni e quelle ripigliaro a caminare. Po' la voci della crapa si fici a picca a picca luntana fino a quanno non si sintì cchiù.

A mezza costa, doppo 'na mezzorata che acchianavano longo un sintero stritto e tutto chino di cacate di crape, Giurlà sintì 'na rumorata che gli parse d'acqua. E 'nfatti, doppo tanticchia, a mano manca comparse un rusceddro che era 'ntifico a quello del presepio, con una cascateddra che formava 'na pozza indove 'na decina di vestie si stavano ancora abbiviranno.

«Quanno tornamo, arricordati di inchiri la borraccia. 'St'acqua è l'unica dei paraggi bona a vivirisi. Ti voi lavari?».

«Sissi».

«Allura fallo. Doppo abbasta che ti ripigli 'stu sintero e 'n capo a 'na mezzorata arrivi».

Se la scialò sutta a quell'acqua che era accussì gelita che gli pariva d'essiri addivintato di vitro.

Quattro

Il posto indove le crape pasculiavano, proprio sutta alla cima, era un chiano tutto erba e sciuri che confinava con un vosco che aviva la mità degli àrboli acchianati sino a mezza costa della muntagna. Le vestie si erano sparpagliate tra il vosco e il chiano e mangiavano a tinchitè.

«Ci stanno 'na cinquantina di crape prene che si sgraveranno a fini misi» dissi Damianu.

«E io che devo fari?».

«Nenti. Le crape fanno tutto da sule. A 'na cosa devi però abbadare. Appena che ogni crapa fa i sò dù crapetti, tu devi stari attento che i crapetti si mettino subito ad allattari».

«Pirchì, non lo fanno da iddri stissi?».

«Siccome che i crapetti ponno caminare appena nasciuti, certe vote s'allontanano dalla matre e quella allura non li arriconosce cchiù. E gli arrefuta il latti. E glielo arrefutano macari le autre crape. Allura abbisogna ammazzarli. Ora mi vaio a lavari io. Torno tra un'orata».

Quanno il soli accomenzò a scattiare forti, tutte le crape che pasculiavano l'erba e i sciuri nel chiano sinni trasirono dintra al vosco a circari il frisco.

«Annamo a mangiare» dissi Damianu avviannosi macari lui verso il vosco.

Ci trasero e doppo qualichi passo si firmaro e s'assittaro con le spalli appuiate a un tronco. Là dintra la luci del soli arrivava a malappena, non ce la faciva a passare 'n mezzo al fitto delle foglie. Dal sò sacco che pariva senza funno, tante erano le cose che arriniscia a cavarne fora, il craparo pigliò dù ova e ne pruì uno a Giurlà.

«È duro. Lo fici passannaieri».

Mentri Giurlà ci stava livanno la scorcia, Damianu, sempri dal sacco, tirò fora un corno con un coperchio fatto di pelli, lo sollivò e dissi:

«Pigliati tanticchia di sali».

Quante vote nella sò vita si era mangiato un ovo? Forsi mai. Lo posò 'n terra, si tagliò 'na feddra di pani, detti un muzzicuni all'ovo e uno al pani e accomenzò a mastichiari. Aviva un sapori bono, ma l'ovo finì prima del pani. Allura s'addunò che 'nveci Damianu aviva finuto il pani e tiniva ancora l'ovo sano sano in mano. E com'era possibbili? Forsi che si era pigliato un altro ovo? Damianu si tagliò 'n'autra feddra di pani, si 'nfilò l'ovo 'n vucca, se lo tinni dintra tanticchia, se lo tirò fora sano e si mangiò un pezzo di pani. Allura accapì: Damianu mangiava pani col sulo sapori dell'ovo. 'Nfatti attaccò a muzzicare l'ovo sulo quanno il pani stava finenno. Bono a sapirisi, quello era un modo di sparagnare che potiva tornare commodo in caso che le proviste accomenzavano a fagliare.

49

Doppo Giurlà si mangiò ancora pani e tumazzo. E alla fini Damianu gli fici viviri cinco muccuna di vino.

Potivano essiri le quattro di doppopranzo quanno Damianu dissi che era ura di tornari. Giurlà si era appinnicato e raprì l'occhi. Nel vosco non c'erano cchiù vestie.

«Unni sunno le crape?».

«Nel chiano che ci aspettano. Loro lo sanno quann'è l'ura di tornari allo stazzo».

'Nfatti le crape stavano lì. Si misiro a caminare, arrivaro alla cascateddra e Giurlà si inchì la borraccia d'acqua frisca. Damianu si era firmato a taliarlo mentri la mannara continuava a scinniri per i fatti sò. E fu in quel priciso momento che 'na lepri niscì con un sàvuto da darrè a un masso e per un attimo si firmò, 'ndecisa su quali era la strata migliori per scappari. A dritta non potiva annare pirchì c'era la cascateddra, darrè manco pirchì la pareti era troppo liscia, davanti aviva 'u rusceddro, non le restava che corriri a manca. Scattò. E macari Giurlà scattò, volanno in aria e arriniscenno, mentri sbattiva 'n terra, ad affirrari alla lepri per le dù ciampe di darrè. Damianu lo taliò 'ngiarmato. Po' agguantò lui la lepri per le ciampe di darrè, la isò con la mancina e con la dritta le detti un colpo a taglio nella parti di darrè delle grecchie. L'armàlo attisò e morì. Damianu taliò 'nterrogativo e ammaravigliato a Giurlà.

«Ma come facisti?».

«Ero bituato a pigliare i pisci con le mano».

«Pigliatilla» fici Damianu pruiennogli la lepri.

«Nonsi, si la pigliasse vossia».

«Grazii» dissi il craparo 'nfilannosilla nel sacco.

C'era genti allo stazzo, quanno arrivaro. Erano cinco fìmmine e cinco mule. Le fìmmine si ficiro 'ncontro a Giurlà.

«Tu sì il novo crapareddro?» spiò 'na cinquantina coi baffi e laida che s'acchiamava la gnà Sunta ed era la capa.

«Come ti chiami?» addimannò 'na vintina beddra assà che di nome faciva Tanina.

«D'unni veni?» fici 'na trentina accussì accussì che dissi di chiamarisi Gemma.

«Maria, che beddro picciotto!» sclamò 'n'autra trentina che aviva occhi nìvuri come il carboni, i capilli rizzi, un pettu che pariva voliva rompiri la cammisetta e che s'acchiamava Rosa.

«Quant'anni hai?» dissi la quinta, 'n'autra vintina meno beddra di Tanina e che di nome faciva Rosalia.

«Forza, annate a travagliare» tagliò Damianu.

Ogni fìmmina si pigliò la sò mula e se la portò 'n funno al recinto. Sulo allura Giurlà notò che lì c'erano 'n'autre dù apirture, in modo che da una vinivano fatte nesciri le crape da mungiri e dall'autra vinivano fatte ritrasire. Ogni fìmmina aviva un cato di zinco. Quanno era chino di latti, lo annava a svacantare dintra ai dù grossi varliri che ogni mula portava.

Damianu sinni stava in mezzo alle dù apirture, col vastuni 'n mano faciva nesciri e ritrasire le crape. Giurlà gli si misi allato per 'mparari l'arti.

51

Le fìmmine erano viloci, doppo 'na mezzorata avivano mungiuto la mità della mannara. Fu allura che Rosa, la quali sinni stava assittata supra a 'na petra come le autre, si susì addritta passannosi 'na mano supra alla facci.

«Mi firria la testa» dissi.

«Vatti a corcare tanticchia» fici Damianu. «Anzi, t'accumpagno».

Detti il vastuni a Giurlà.

«Continua tu».

Era facili, macari pirchì le crape provavano piaciri a essiri mungiute e non s'arribbillavano. Tutto 'nzemmula, quella che di nome faciva Gemma principiò a cantare:

C'è cu travaglia e 'u cori si rodi,
e c'è cu si stinnicchia e si la godi...

Le autre tri fìmmine si misiro a ridiri. Doppo, la vintina Tanina spiò a Giurlà, con l'occhi sparluccicanti:

«Pirchì non vai a vidiri come si senti Rosa?».

«Picciotte, finitila!» fici la gnà Sunta.

«Nonsi, volemo sapiri come sta!» dissiro squasi 'n coro Gemma, Tanina e Rosalia.

«Vacci» fici la gnà Sunta.

Appena che arrivò nei paraggi della capanna sintì che Rosa si stava lamentianno. Mischineddra! Allura non si trattava di un semprici firriamento di testa, ma di qualichi cosa di cchiù gravi! S'affacciò e ristò apparalizzato. Non aviva mai viduto un mascolo e 'na fìmmina che ficcavano, ma ne avivano tanto parlato con Pippo e Fofò che era come se l'avissi viduto un cintinaro di vote. Rosa, completamenti nuda, stava stinnic-chiata a gamme larghe supra alla coperta che cummi-gliava il pagliuni, e Damianu incoddrato a lei faciva avan-ti e narrè col culu, avanti e narrè, avanti e narrè. Giurlà s'ammaravigliò di quanta forza ci mittiva Da-mianu a ogni 'ncarcata. Forsi per chisto Rosa si lamin-tiava? Pirchì sintiva duluri? Ma quel lamintio non pa-riva di duluri, anzi! Po' il craparo si firmò e si sfilò, Rosa si misi prima agginocchiata e appresso s'appuiò con le mano supra al pagliuni. Darrè a lei, Damianu ri-pigliò a ghiri avanti e narrè, tinenno nelle sò mano le minne della fìmmina che pinnuliavano come quelle di 'na crapa. E i lamenti di Rosa addivintaro cchiù forti.

Giurlà sinni tornò.

«Come si senti Rosa?» gli spiò maliziusa Tanina.

«Meglio assà» arrispunnì Giurlà.

Arridero tutti.

'N capo a 'n'autra mezzorata le fìmmine finero e sin-ni partero.

«'Sto latti» spiegò Damianu mentri sciogliva la cra-pa dal palo e la faciva trasire dintra allo stazzo «servi per fari cacio. Le fìmmine torneranno ogni sira a mun-giri. Ora io ti lasso. Duminica a matino 'nni videmu al laco. Piru resta cu tia. Ti lasso macari il vastuni».

«Ma Piru unn'è che non lo viu?».

«Quanno le crape tornano allo stazzo, Piru sinni va e po' si fa vidiri all'indomani, come fici stamatina. E dormi tranquillo pirchì se non t'arrisbigli all'ura giu-sta, ti veni ad arrisbigliari lui».

«E unni sinni va la sira?».

«E chinni saccio? Fa da sempri accussì. Iemo dintra».

Trasero nella capanna.

«In cangio della lepri» fici Damianu «ti lasso quattro ova duri, un pezzo di salami, 'n autro cartoccio di aulive, 'na buttiglia di vino e 'na lanna di sapuni per lavariti i panni».

Tirò fora dal sacco senza funno la robba e la posò supra al tronco.

«Minni vaio».

Niscì. Giurlà gli annò appresso. L'omo gli fici 'na carizza supra alla facci. «Non ti scantare quanno sei sulo. I briganti, che ogni tanto si fanno vidiri da 'ste parti, non fanno nenti a un caruso. E se arriva qualichiduno che tu accapisci che havi bisogno di qualichi cosa, dunagli quello che gli abbisogna e mannalo con Diu. A duminica».

La sira calò di colpo. E Giurlà era stanco assà. L'ariata della muntagna lo faceva stari come doppo quella vota che aviva avuto la fevri àvuta e non arrinisciva a susirisi dal letto tanto si sintiva allaccaruto e privo di forza. Addecise di mangiarisi pani e salami e po' pani e aulive. Si tagliò il pani, pigliò l'altra robba e annò a mangiarisilla fora, con le spalli appuiate al palo. Lo stillato ccà era diverso dello stillato che si vidiva dalla pilaja.

Sò patre glielo aviva 'nsignato a taliare il celo. Le stiddre sbrilluccicavano cchiù luminose e s'addistinguivano meglio l'una dall'autra. Il carro, con le sò rote e il manico, pariva addisignato col gessetto supra a 'na lavagna. Le crape durmivano e c'era un silenzio che faciva scanto. Meno mali che ogni tanto un cani luntano abbaiava e col sò abbaio tiniva compagnia. Forsi che era Piru? Po' si sintì pigliato di friddo e sinni trasì nella capanna. Addrumò la lampa che faciva 'na bona luci. Dato che quella era la prima notti che passava sulo, stappò la buttiglia di vinu e sinni vippi tanticchia. Ma non gli viniva sonno. Aviva il cori che gli battiva cchiù lesto del solito. Allura pigliò 'na pelli di crapa, se la misi supra alle spalli e niscì novamenti fora. Nello scuro, s'avvicinò allo stazzo. Qualichi cosa, un armàlo grosso come un gatto che non accapì che era, gli passò 'n mezzo alle gamme. E che potiva essiri? E se lo muzzicava? No, la meglio era tornarisinni dintra alla capanna. Si voltò e in quel momento sintì, leggio leggio:

«Bee...».

Pirchì quella sula crapa era vigliante mentre tutte l'autre durmivano?

Mentri si faciva la dimanna, si detti l'unica risposta possibbili. Ma doviva controllari, pirchì non ci cridiva. Annò nella capanna, pigliò il lumi, niscì novamenti fora. Ci aviva 'nzirtato! Era la stissa crapa che aviva durmuto con lui la notti avanti. Sinni stava vicina alla trasuta e lo taliava, ora muta.

Era chiaro che voliva nesciri e starisinni con lui. Ma non potiva! Come faciva la crapa a non capirlo? Se la faciva nesciri, macari le sò compagne avrebbiro voluto fari l'istisso! Le voltò le spalli.

«Bee bee...» fici la crapa lamentiusa.

Bih, che camurria! Quella era capace di starisinni tutta la notti a chiangiri.

Raprì adascio adascio, la crapa niscì fora di cursa e scomparse. Giurlà non la vitti cchiù. Matre santa, voi vidiri che sinni era scappata? Pigliò a corriri circannola, ma vicino al palo non c'era e non si vidiva manco nelle vicinanze. Quella va a sapiri indove era ghiuta a finiri! E che gli avrebbi contato a Damianu? Sinni tornò nella capanna. E dintra c'era lei che si stava mangianno un pezzo di pani.

«Fora di ccà!».

La crapa non si catominò. Allura l'affirrò per un corno, la portò fora, l'attaccò al palo con la corda. Si spogliò, si corcò, astutò il lumi. Ma ancora il sonno non gli calava. Stava 'ncuponato sutta alla coperta e via via che il calori aumintava, Giurlà sintiva che la coperta e il pagliuni mannavano un aduri strammo. Po' accapì: era il sciauro della pelli di Rosa che ci era stata corcata nuda mentri ficcava con Damianu. Si portò un pezzo di coperta alle nasche e lo sciaurò a longo. Maria, quant'era bono quell'aduri di fìmmina! E con quell'aduri s'addrummiscì. Cchiù tardi, 'n mezzo al sonno, sintì qualichi cosa allato a lui. Tastiò con la mano e 'ncontrò pilo càvudo di crapa. Si vidi che la vestia era arrinisciuta a libbirarsi. Ma non aviva gana di susirisi e portarla fora epperciò la lassò stari indove era.

L'arrisbigliò il naso vagnato di Piru supra alla sò facci. Addrumò il lumi pirchì ancora faciva scuro. La crapa non c'era cchiù. E di subito gli tornò a menti d'aviri fatto un sogno che gli era piaciuto assà assà, ma che non arriniscì ad arricordarisi di che trattava, nenti. Su-

56

sennosi, notò che supra al pagliuni c'era 'na grossa macchia scurosa. La toccò, era umidizza.

Possibbili che si era pisciato come un picciliddro? Capace di sì, sò patre gli aviva ditto che c'erano acque che avivano la spicialità di fari pisciari all'omo. Forsi l'acqua del rusceddro aviva 'sta particolarità. Si vistì sintennosi disaggiato di non potirisi lavari. A Vigàta, la prima cosa che faciva la matina susennosi era quella di annarisi a ghittari a mari e sulo doppo si vistiva. Tutto 'nzemmula pinsò che nella capanna c'era un otri.

Lo pigliò, lo raprì, lo sciaurò. Non sapiva di nenti, meglio accussì. 'Na vota chino d'acqua, l'otri gli sarebbi abbastato per lavarisi matina e sira minimo per tri jorni. Se lo portò appresso 'nzemmula al sacchiteddro di tila del mangiare e la borraccia. Le crape già facivano burdellu che volivano nesciri e si erano ammassate davanti alla trasuta della stacciònata.

Appena che raprì e le vestie niscero, arrivò di cursa la crapa che aviva durmuto nella capanna e trasì 'n mezzo alle sò cumpagne.

Doppo 'na mezzorata di camino, Giurlà arrivò alla cascateddra. Lassò che le crape continuassiro ad acchianare e principiò a spogliarisi. Il cani Piru, che si era firmato allato a lui, quanno accapì la 'ntinzioni che aviva, sinni ghì appresso alle crape a fari il doviri sò di guardiano. Sinni stetti sutta alla cascateddra puliziannosi bono, po' s'arrivistì e ripigliò ad acchianare.

Aviva fatto 'na decina di passi quanno vitti a 'na crapa solitaria supra al sintero che lo taliava viniri. L'arriconobbe: era la solita crapa che voliva stari con lui. Era

chiaro che non vidennolo era tornata narrè curiosa di capacitarisi di quello che lui stava facenno. Non lo sapiva
che c'erano crape che s'affezzionavano come cani, Damianu non glielo aviva ditto, chista aviva addirittura ar-
rinunziato ad annare a mangiare per aspittarlo.

«Bee…» fici la crapa.

«Ccà sugno» fici lui in risposta.

Rassirinata, la crapa si voltò e tornò ad acchianare
longo il sintero.

Al ritorno, inchì l'otri e se lo carricò sulle spalle. Ma
quanto pisava l'acqua! Dintra, ci potivano stari 'na trentina di litri. Voi vidiri che l'acqua pisava un chilo a li-
tro? Allo stazzo, c'erano già le fìmmine e le mule.

«Tu sai leggiri e scriviri come a Ramunnu?» gli addimannò Tanina.

«Malamenti. Haio la terza limentari».

«Piccato! Ramunnu scriviva a 'o mè zito sordato per
conto mio. Lui era struito assà! Sapiva 'u latinu!».

E che ci potiva fari se non aviva studiato? Gli vinni di diri, senza che lui stisso se l'aspittava:

«Basta chiacchiariare! Annate a travagliare, non pir-
demo tempo».

A mità mungitura, proprio come aviva fatto il jorno
avanti, Rosa si susì dalla petra e spiò a Giurlà:

«Per caso, nella capanna, attrovasti un oricchino?».

«No».

«Pozzo annare a taliare se c'è?».

«Vabbeni».

Rosa fici un passo, si firmò, si voltò:

«M'aiuti a circarlo?».

Giurlà notò che, di colpo, le autre fìmmine si erano firmate e lo taliavano.

«No, non voglio lassare ccà».

Mentri Rosa s'avviava alla capanna, Gemma le cantò a scorno:

Cu voli acchiappari un toru a jornata
certe voti si piglia 'na beddra 'ncornata.

Rosa s'apparalizzò. Appresso si voltò lenta lenta e cantò:

Megliu acchiappari un toru a jornata
che starisinni sula e dispirata.

«Gemma, stavota Rosa te la cantò bona!» fici la gnà Sunta.

Gemma no, ma l'autre fìmmine arridero. Rosa tornò doppo tanticchia.

«L'attrovasti?».

«Sì. Era supra alla cascia allato al pagliuni».

Giurlà era cchiù chi sicuro di non avirlo viduto né quanno si era corcato né quanno si era susuto. Sicuramenti Rosa l'oricchino l'aviva sempri avuto 'n sacchetta e aviva fatto quel mutuperio per farlo annare dintra alla capanna con lei. Come le aviva cantato Gemma, era 'na fìmmina che l'omo lo voliva ogni jorno. Ma lui ancora non se la sintiva.

Cinque

Quanno le fìmmine sinni foro ghiute col cani Piru appresso e vinni lo scuro, Giurlà trasì nella capanna, si pigliò le cose da mangiare e se le portò fora. Notò che la crapa-cani era già vicina alla trasuta della staccionata. Sulo doppo che ebbi finuto di mangiare la fici nesciri. E quella sinni annò di cursa dintra alla capanna. Lui persi tempo a fari i sò bisogni e a lavarisi con l'acqua dell'otri che tiniva 'n terra all'aperto. Quanno si corcò, la crapa gli si aggiuccò allato. Giurlà la taliò a longo alla luci del lumi. Era 'na vestia graziusa, 'u pilu era longo, marrò e bianco, le corna curte e dritte, e pariva che sorridiva sempri. Non fitiva tanto come le autre. Addecisi di chiamarla Beba.

I jorni passaro e arrivò quella duminica matina nella quali doviva annare al laco per 'ncontrarisi con Damianu. Piru l'arrisbigliò come a 'u solito, Giurlà si lavò e si vistì ma non sapiva chi fari. Doviva portari le crape a pasculiari o le potiva lassare dintra allo stazzo? Mentri sinni stava dubbitoso, vitti compariri a Rosa.

«Alle crape ci abbado io. Tu vatinni, ma cerca di tornari massimo alle cinco di doppopranzo, masannò io minni vaio e la mannara resta sula».

«Prima delle cinco sugno ccà. Me l'arricordi la strata per arrivari al laco?».

Rosa gliela arricordò, era facili.

«Portati un sacco vacanti».

«Pirchì?».

«Per mittiricci la robba di mangiare che ti devi abbastare per una simana».

Al laco, quanno arrivò, c'era già Damianu con tri òmini.

«Chisti sunno crapari come a tia. Giuvanni, Mattè e Lovì».

Si stringero le mano. Mattè, il cchiù picciotto, potiva essiri vintino.

«Come si chiama 'stu laco?» spiò Giurlà.

«Laco Villarosa».

«Pirchì si chiama accussì?».

«Boh. Forsi pirchì a qualichi distanzia da ccà c'è un pàisi grosso che si chiama all'istisso modo».

«Cinni stanno pisci?».

«Pari di sì».

«Haio tempo per farimi un bagno?».

«Nel laco?» spiò ammaravigliato Damianu.

«Sta attento che è funnuto!» dissi Mattè.

«E l'acqua è fridda assà!» fici Lovì.

Ma Giurlà 'ntanto era ristato in mutanne. Trasì e di subito si calumò sutta. L'acqua agghiazzava e lui, natanno, fici scarmazzo con le vrazza e con le gamme per mantiniri il sangue in circolazioni. Appena che fu all'altizza delle piante che si cataminavano come se volivano aggramparlo, pigliò a natare adascio adascio. E vitti il primo pisci. Maria, quant'era grosso! Il pisci, appena che notò la sò prisenzia, si firmò 'mparpagliato. Non era bituato all'omo. Giurlà scattò, l'agguantò, l'ammazzò muzzicannolo 'n testa, tornò 'n superfici, ghittò il pisci ai pedi dei quattro òmini che lo taliavano 'ngiarmati e si ricalò suttacqua. Quanno sinni partero dal laco, Giurlà aviva piscato un pisci a testa.

'N casa di Damianu, che s'attrovava a un ducento metri dal laco, Giurlà pulizió il pisci e l'infarinò, Lovì addrumò il foco e quanno fu bello àvuto Damianu pigliò 'na padeddra e ci misi dintra tanticchia d'oglio.

«Ma io non li saccio friiri» dissi.

«Io sì» fici Giurlà.

Il pisci era bono, per quanto a Giurlà, che non aviva mai mangiato pisci d'acqua duci, gli parse che aviva picca sapuri. L'autri si liccaro le dita.

Po' Damianu misi 'n mezzo alla tavola un sciasco di vino e cinco bicchieri e accomenzò a dimannare ad ognuno se c'erano state novità nelle mannare.

Sulo Lovì dissi che aviva perso dù crape.

«E come fu?».

«Sinni stavano a mangiari 'n pizzo 'n pizzo a uno sbalanco. Tutto 'nzemmula la terra franò e loro non ficiro a tempo a tirarisi narrè».

«L'arrecuperasti?».

«No. La scinnuta era troppo difficili».

Damianu lo taliò, raprì la vucca come per diri qualichi cosa, ma 'nveci non dissi nenti. Po' detti a ognuno le proviste della simana e macari i sordi che gli spittavano.

«Tu resta» dissi Damianu a Giurlà mentri l'autri salutavano e sinni tornavano alle loro mannare. Giurlà si sintiva accussì contento che squasi gli firriava la testa. I sordi che aviva 'n sacchetta gli facivano liggero il ciriveddro chiossà del vino che si era vivuto. La paga corriva da duminica a sabato, setti jorni, che vinivano ad assignificari deci liri e mezza. 'U sò primo guadagno!

«Come ti sei attrovato con le crape?».

«Bono».

«Ci foro difficortà?».

«Nonsi».

«Te la senti di continuari?».

«Sissi».

«Aspetta un momento» fici susennosi e annanno nella càmmara di darrè che doviva essiri quella di dormiri.

La casa era pricisa a un dado tagliato in dù, nella parti di davanti ci stavano il tavolino, le seggie e 'na cucina 'n muratura con dù fornelli a ligna. Damianu tornò portanno 'na speci di mantellone col cappuccio.

«Pigliatillo, non fa passari l'acqua».

«Come mi devo arrigolari con la mannara se chiovi forti?».

«Se chiovi forti, non la portari a pasculiari. Tu rapri lo stazzo e falle nesciri, ma non le fari pigliari il sin-

63

tero. Se hanno fami, si mangiano l'erba che hanno torno torno».

«Mi lo fa un favuri?» spiò tutto 'nzemmula Giurlà.

«Parla».

«Me li pò tiniri vossia i sordi?».

«Certo. Ti scanti che te l'arrobbano?».

«Sissi».

E a parti tutto, a che gli potivano sirbiri i sordi in quelle muntagne perse?

Allo stazzo Rosa stava finenno di fari trasiri le crape dintra al recinto.

Lui annò nella capanna e accomenzò ad assistimare la robba di mangiare.

«Mi pozzo lavari tanticchia con l'acqua di l'otri?» spiò di fora Rosa.

«Vabbeni».

Rosa, davanti alla porta della capanna, in un vidiri e svidiri si sbarazzò della cammisetta, s'abbasciò le spalline della suttana, si livò il reggipetto.

Maria, che minne grosse che aviva! E come facivano a ristarisinni tise tise a malgrado del piso? Po' s'acculò, si isò la gonna e la fodetta, se le arrutuliò alla vita e pigliò a lavarisi 'n mezzo alle gamme. Non portava mutanne. Quanno finì, accussì com'era trasì dintra.

«Ce l'hai qualichi cosa per asciucarimi?» spiò assittannosi supra al pagliuni.

Giurlà attrovò sulo 'na sò cammisa che aviva lavata dù jorni avanti e gliela detti. Rosa si stinnicchiò appuiannosi con un vrazzo alla cascia e principiò ad asciucarisi il petto. Giurlà non arrinisciva a livari l'occhi dalla parti vascia di lei che, in quella posizioni, era tutta a vista. Quanto pilu che aviva! A momenti, chiossà d'una crapa!

«Pirchì talii accussì?» spiò Rosa. «Non hai mai viduto 'na fìmmina nuda?».

«No».

«Davero?! Allura approfitta e taliami bona».

Ghittò la cammisa, si tirò ancora cchiù supra gonna e fodetta e s'appuiò con tutte e dù le vrazza alla cascia in modo che lui la potiva vidiri meglio. Di colpo, mentri s'assammarava di sudori, Giurlà sintì che il sò sutta, dintra ai cazùna, gli addivintava firrigno. Da qualichi misi gli capitava, ma mai come ora. Rosa fici 'na risateddra leggia leggia, si susì a mezzo, pigliò 'na mano di Giurlà, se la fici mettiri supra al petto e si stinnicchiò novamenti. Ce l'aviva dure, ma a toccarle parivano fatte di villuto. Tutto 'nzemmula Rosa gli spostò la mano verso il vascio, guidò dù sò dita dintra di lei. Po' disse:

«Fermati».

Vrigugnoso, sudatizzo, Giurlà si isò. Rosa si susì a mezzo, gli calò i cazùna, se lo tirò di supra, lo guidò. Avivano appena finuto e sinni stavano corcati allato col sciato grosso, quanno Rosa dissi:

«Che havi 'sta crapa che fa accussì?».

Giurlà appizzò l'oricchi. Vero era. C'era 'na crapa che si lamintiava alla dispirata. Forsi si era fatta mali.

«Vaio a vidiri».

Niscì, si avvicinò allo stazzo. Era Beba che faciva sàvuti, dava cornate al recinto. Giurlà pinsò che libbirarla non era cosa, quella sarebbi annata di cursa alla capanna e lui avrebbi dovuto arrispunniri alle dimanne di Rosa.

Sinni tornò pinsanno d'attrovari alla fìmmina già vistuta. 'Nveci Rosa si era mittuta completamenti nuda a panza sutta. Per Giurlà fu come se non avissi ancora ficcato. Appena che le fu di supra, lei pigliò la stissa posizioni di quanno stava con Damianu. Però, mentri la prima vota sinni era stata 'n silenzio, stavota accomenzò a lamintiarisi. E a Giurlà piacì chiossà. Tanto che macari lui si misi a fari ahn ahn a ogni 'ncarcata.

Quanno Rosa sinni ghì, Giurlà sinni ristò ancora tanticchia corcato. Non gli pariva vero. In una sula jornata aviva avuto il sò primo guadagno e la sò prima fìmmina. Cchiù tardi, mentri si stava lavanno, si addunò, passannosi le mano supra alla facci, che gli stavano spuntanno i primi pila di varba, ancora accussì tenniri che si livavano con la punta delle dita.

Era addivintato omo. Pigliò la robba, niscì fora, se la mangiò appuiato al palo. Quanno finì, annò allo stazzo. Beba era vicina alla trasuta, immobili, manco faciva bee. Le raprì, la crapa niscì ma non annò, come 'u solito, a 'nfilarisi nella capanna. Si firmò davanti alla porta. E non trasì manco quanno Giurlà si spogliò e si corcò.

«Che ti piglia? Veni ccà!».

Nenti, non si cataminava. Allura gli vinni di fari 'na pinsata. Si susì, calò il sacco con la robba di mangiare, si misi tanticchia di sali nella mano e s'assittò supra al letto ristanno col vrazzo tiso. Beba, che stava a taliarlo da fora della porta, s'addecisi a trasire, s'avvicinò lenta lenta, principiò a liccarigli il sali.

«Pace?» le spiò alla fini Giurlà.

«Bee» fici Beba.

Non arriniscì a pigliari subito sonno. L'aduri di Rosa aviva 'mprignato il pagliuni e via via che la coperta faciva càvudo, il sciauro crisciva.

S'arritrovò ad avirlo di novo firrigno. Accapì che, se voliva addrummiscirisi, non c'era che 'na sula cosa da fari. E accomenzò a farla, mentri con l'altra mano accarizzava, nello scuro, il pilo di Beba aggiuccata allato a lui.

Secondo

Uno

Fu 'na duminica doppopranzo, che lui era appena tornato allo stazzo dalla riunioni con Damianu, che le crape prene accomenzaro a figliare. Per fortuna c'era ancora Rosa che era ristata ad aspittarlo per farisi la solita orata di ficcaggio, masannò di sicuro Giurlà avrebbi pirduto la testa a vidiri 'na decina di crape ghittate 'n terra che si lamintiavano con un lamintio curto e ripituto.

«Stamatina 'ste crape prene le lassai nello stazzo, non le portai a pasculiare, si vidiva che mancava picca a figliare» dissi Rosa trasenno dintra al recinto.

Giurlà le annò appresso per vidiri quello che faciva. Certe vote lo sgravamento era facili pirchì si trattava di vestie che avivano già figliato, spisso 'nveci, per le crape che era la prima vota, la facenna era cchiù difficili. In tri casi, Rosa dovitti accularisi e, con le dù mano, aiutare il crapetto a nasciri. Appena fora, quello tintava di mittirisi addritta supra alle quattro ciampe, ma di subito qualichi ciampa non riggiva, si piegava e l'armàlo cadiva. Ma si risusiva immediato e ci riprovava e accussì di seguito fino a quanno tutte e quattro le ciampe non lo tinivano bono.

71

Allura, ma non sempri, il crapetto primo nasciuto si mittiva allato alla matre ad aspittari la nascita del secunno crapetto e appena macari quell'autro era vinuto fora, s'apprecipitava a sucare il latti dalla matre che si era susuta addritta. Ma certe vote il crapetto primo nasciuto, contento di sapirisi tinuto dalle quattro ciampe, tintava di mittirisi a corriri e finiva con l'allontanarisi dalla matre. Quello era il momento sdilicato, pirchì se il secunno crapetto si mittiva a sucare mentri ancora il primo era luntano, quest'urtimo non sarebbi stato cchiù arriconosciuto dalla matre. Pirciò abbisognava affirrari i crapetti luntani e riportarli vicino alle rispittive matri. Appena che s'attaccavano alla minna, non c'era cchiù periglio.

«Prima di ghiriminni» dissi Rosa che aviva fatto tardo e non potiva ristari cchiù a longo «mi fai fari come i crapetti?».

«Che voi fari?».

«Ora te lo fazzo vidiri» fici Rosa agginocchiannosi e calannogli i cazùna.

'Na sira che era vinniridì e aviva finuto allura allura di fari trasiri le crape dintra al recinto, vitti arrivari a un omo a cavaddro con un dù botti supra alla spalla.

«Bonasira» fici l'omo portanno dù dita alla coppola.

«Bonasira» arrispunnì Giurlà.

Era un cinquantino tutto vistuto di fustagno marrò, giacchetta, gilecco e cazùna. Macari i gammali erano marrò. Aviva 'na facci affilata che pariva un cuteddro, non aviva occhi, ma dù fissure. E non sulo: parlanno, non taliava a chi aviva davanti.

«Mi chiamo Totò Randazzo» dissi l'omo scinnenno e pruienno la mano.

«Io Giurlà».

«Sugno un amico di Lovì Burruano».

«Vi manna lui?».

«Non mi manna nisciuno. M'attrovavo a passari da queste parti».

«Volite un muccuni di vinu?».

«No, grazii. Ti volivo sulo accanosciri. Lovì mi dissi che sei un picciotto sperto e pronto, che arrivi a pigliari i pisci con le mano».

Che voliva da lui? Quell'omo non lo persuadiva.

«Quante crape hai?».

«Triccento».

«Ne hai mai pirduta qualichiduna?».

«Fino a ora, no».

«Pensi che ti potrà capitare?».

«Chi cosa?».

«Di pirdirinni qualichiduna».

Ma era pazzo quell'omo? Che discursi faciva?

«Se mi capita, veni a diri che mi doviva capitare».

«E come la chiami tu la perdita di 'na crapa?».

Di sicuro era pazzo.

«Boh, 'na disgrazia».

«Pò aviri 'n autro nomi».

«E quali?».

«Fortuna».

Voliva babbiare? Come faciva a diri che la perdita di 'na crapa potiva chiamarisi fortuna?

L'omo lo taliò a longo 'n silenzio. Come se si aspittava 'na risposta che non ebbi. Allura voltò le spalli e acchianò supra al cavaddro.

«Bonasira».

«Bonasira».

La duminica appresso, 'nveci di Rosa comparse Gemma per abbadare alle crape.

«E Rosa?».

«Ci avivatu pigliato gusto con Rosa? Mi dispiaci, ma non la vedrai cchiù, non veni cchiù manco a mungiri».

«Pirchì?».

«Pirchì don Tichino l'ha mittuta a fari ricotta».

«E cu è don Tichino?».

«Quello che addiriggi la casera. Dù vote alla simana la ricotta don Tichino se la faciva fari 'n privato da Rosa dintra alla sò càmmara. Accussì ora Rosa guadagna chiossà facenno la ricotta tutti i jorni a don Tichino in pubbrico e in privato».

Lo talò maliziosa.

«E macari tu lo sai quant'è brava Rosa a fari la ricotta, no? Mi dispiaci per tia, ma io non la saccio fari».

Giurlà non le arrispunnì. Ma ora come avrebbi fatto senza Rosa? Pirchì si era addunato che cchiù praticava con quella fìmmina e cchiù gli crisciva la gana di praticarla.

Era addivintata oramà 'na bitudini che la duminica, quanno s'incontravano al laco, Giurlà piscava il pisci per tutti.

Doppo che finero di mangiare e Damianu annò nella càmmara di darrè a pigliare i sordi della paga, Lovì, che s'attrovava vicino a Giurlà gli dissi a voci vascia:

«Totò Randazzo ti vinni a trovari?».

«Sì».

«Pensacci bono».

Giurlà lo taliò strammato. Che significava? A che doviva pinsari? Non ebbi tempo d'addimannarigli 'na spiegazioni pirchì tornò Damianu. Il quali, alla fini, gli dissi di ristari tanticchia.

«Ci sunno novità?».

Giurlà se la pinsò. Ce la doviva contare o no la visita che aviva arricivuto dù jorni avanti? Addecisi per il sì.

«Passannaieri mi vinni a trovari un amico di Lovì».

Di subito, Damianu appizzò l'oricchi.

«Come si chiama?».

«Totò Randazzo».

Damianu sturcì la vucca e santiò.

«Ma cu è?».

«L'anno passatu» dissi Damianu 'nveci d'arrispunniri alla dimanna «Lovì perse cinco crape. 'St'anno, e 'na vota c'eri tu prisenti quanno me lo dissi, ne ha già pirdute dù. L'autri non ne hanno pirduta una. Tu come te lo spieghi?».

«Forsi Lovì non ci abbada come dovrebbi abbadaricci».

«Don Sisino mi dissi che macari nelle tri mannare di picore c'è stato un picoraro che perse cinco picore. E

75

tanto il picoraro quanto Lovì sunno amici di Totò Randazzo».

Giurlà non ci stava accapenno nenti.

«E ti dico un'urtima cosa: delle setti crape morte tra l'anno passato e ora, non è stato possibbili arricuperarne manco una».

Giurlà continuava a sintirisi pigliato dai turchi.

«E pirchì abbisogna arricuperarle quanno sunno morte?».

«Minimo per tri motivi. Il primo è che se è morta di malatia, si pò circari di capiri di quali malatia è morta. Il secunno è che se è morta per disgrazia, uno se la mangia. Il terzo è per dimostrari che la crapa è veramenti morta».

Giurlà allucchì.

«E che veni a diri quanno uno veni a contare che 'na crapa è morta mentri 'nveci è viva?».

«Veni a diri che la crapa è stata vinnuta, tanto per fari un nomi, a Totò Randazzo. Mi capisti, ora?».

Giurlà si sintì sudari friddo.

«E se Randazzo torna e mi spia di fari lo stisso 'mbroglio che fa con Lovì, che gli devo arrispunniri? Quello capace che mi spara, se gli dico di no!».

«Tu digli di sì. Avivamo stabilito con don Sisino che se Randazzo s'allargava, ci pinsava lui. Tu fai accussì: se Randazzo ti parla chiaro, tu dici che sei d'accordo. E po' dillo alla gnà Santa che l'arrifirisci a mia».

Giurlà si sintì tanticchia cchiù carmo. Tirò fora dalla sacchetta i sordi della paga e li pruì a Damianu:

«Mi li mittissi con l'autri».

E po' spiò:

«Mi pò dari un cartoccio di sali? Quello che avivo mi cadì 'n terra».

Era 'na farfantaria, l'aviva dato a Beba.

«Se te ne voi accattare un sacchiteddro di tri chila...».

«Sissi. E se lo pagassi piglianno i sordi da quelli che havi 'n deposito».

Arrivò che Gemma aviva fatto trasire le crape e sinni stava ghienno. Si salutaro friddi, con Gemma non si facivano sangue. Dato che non c'era Rosa, annò subito a libbirari a Beba. La vestia lo seguì dintra alla capanna. Po' niscì fora col mangiare e Beba gli annò appresso. Ogni tanto tagliava un pezzo di pani per lei. Se lo ghittava 'n terra, Beba lo lassava unn'era. Doviva essiri lui a calarsi a pigliarlo, allura la crapa rapriva la vucca e si faciva civare. 'Nzumma, cchiù passava il tempo e cchiù addivintava crapicciosa. Quanno si facivano l'acchianata per annare nel bosco indove le crape pasculiavano, Beba gli stava sempri allato e non l'abbannunava. E stava ad aspittarlo tutte le vote che lui si firmava alla cascateddra per lavarisi bono o per inchiri l'otri. S'alluntanava da lui sulo quanno arrivavano nel chiano, ma tanticchia prima di tornari spuntava e gli si mittiva vicino. Quella sira, doppo tanticchia che si era corcato, gli smorcò un grannissimo desiderio d'aviri a Rosa suttamano. E cchiù pinsava a lei, cchiù gli pariva di sintirinni l'aduri nel pagliuni. La smania lo faciva arrutuliari da un lato all'autro. Po' gli vinni 'n testa un rimeddio: sollevò la coperta e obbligò a Beba a 'ncuponarisi con lui. Accussì, col naso 'nfilato 'n mezzo al sò pilo, non sintì cchiù l'aduri di Rosa, ma quello della crapa, e potì finalmenti addrummiscirisi.

Totò Randazzo s'appresentò novamenti tri jorni appresso, che era mercolidì, alla scurata.

«Bonasira».

«Bonasira».

Era vistuto priciso 'ntifico come la vota passata.

«Lo sai da indove vegno?».

«Nonsi».

«Mi sono fatto il sintero che tu fai quanno che ti porti le crape a pasculiari».

«Pirchì?».

Non arrispunnì, 'nveci fici 'n'autra dimanna.

«Le crape s'abbivirano alla cascateddra che c'è a mità strata?».

«Sissi».

«Allato alla cascateddra c'è uno sbalanco minimo di cinquanta metri. Nisciuna crapa c'è mai caduta?».

«Nonsi».

«'U posto mi pari bono».

«Bono per chi cosa?».

«Per diri che ci cadero dintra tri crape».

«E pirchì doviria diri 'sta cosa?».

«Per mittiriti 'n sacchetta quinnici liri, cinco liri a crapa».

Giurlà si sintì battiri forti il cori. Damianu aviva viduto giusto. Ma se diciva subito di sì, capace che quello s'insuspittiva.

«E come?».

«Tu mi duni le crape, dici a Damianu che sono cadute nello sbalanco e ti metti 'n sacchetta i sordi».

Si fingì scantato.

«Chi fa, babbìa? E se Damianu lo scopri?».

«Non ti scantare, se fai come ti dico io, va tutto beni».

Doppo 'na mezzorata, Giurlà addimostrò di essirisi convinciuto.

Stabilero che Randazzo si viniva a pigliari le tri crape vinniridì matino allo stazzo, prima che le vestie annavano a pasculiare.

E Giurlà, come d'accordo con Damianu, arrifirì tutto alla gnà Sunta.

Nella nuttata tra jovidì e vinniridì arriniscì a dormiri sì e no un tri orate.

Era troppo nirbùso. Non sapenno a che ura pricisa Randazzo si sarebbi appresentato, non aviva libbirato a Beba, si scantava che quello arrivava e l'attrovava corcato con la crapa. E Beba per tutta la nuttata aviva fatto un mutuperio di bee dispirati, di cornate alla staccionata, di sàvuti, non capicitannosi pirchì Giurlà non l'aviva voluta.

Randazzo arrivò che l'alba faciva ancora la luci viola. Per prima cosa, detti quinnici liri a Giurlà che se li misi 'n sacchetta.

«Vaio a pigliarci le crape».

«No, me le scceglio io».

La prima crapa che 'ndicò fu Beba.

«No, quella no!».

79

«Amico, io non voglio crape vecchie».

«Ce ne stanno tante autre picciotte!».

Sinni sciglì tri, le attaccò a 'na corda, s'avviò verso il cavaddro, ligò la corda alla seddra, montò, partì.

Doppo 'na mezzorata, Giurlà fici nesciri le crape e le portò a pasculiari.

Beba era offisa. Stava vicina a lui, ma a qualichi passo di distanzia. Alla cascateddra, c'era don Sisino a cavaddro e Damianu con le tri crape che l'aspittavano. Randazzo non si vidiva. Forsi gli avivano dato 'na gran fracchiata di lignate e si erano ripigliate le vestie.

Le tri crape di subito si 'nfilaro 'n mezzo alle cumpagne.

«Unn'è Randazzo?».

«Talialo» dissi don Sisino facenno 'nzinga con la testa verso la cascateddra. «Ma sta attento che si sciddrica».

'N funno allo sbalanco indove avrebbi dovuto diri ch'erano cadute le crape, ora si travidiva, 'n mezzo alle petri e alle troffe d'erba serbaggia, un cavaddro morto con le ciampe in aria e sutta di lui niscivano le gamme di un catafero.

Tornò narrè scuncirtato.

«Randazzo fici 'na 'mprudenza ad annare alla cascateddra stannosinni a cavaddro. La vestia sciddricò e tutti dù si catafuttero» dissi don Sisino taliannolo nell'occhi.

«M'aviva dato quinnici liri» fici Giurlà cavanno i sordi dalla sacchetta e isannosi supra alla punta dei pedi per darglieli.

Don Sisino si calò in avanti dal cavaddro, non per

pigliarisi la monita, ma per fari 'na carizza supra ai capilli di Giurlà.

«Tenitilli tu. Sei un bravo picciotto».

Tirò la briglia e il cavaddro principiò la scinnuta. Damianu 'nveci ristò.

«Se putacasu veni qualichiduno a spiari di Randazzo, tu non l'hai mai né viduto né accanosciuto».

«D'accordo. Ma Lovì lo sapi che mi vinni a parlari».

«Non t'apprioccupari di Lovì».

«'Ste quinnici liri me li teni vossia?».

«Vabbeni, 'nni videmo duminica».

Ci foro dù cangiamenti. Il primo fu che alla duminica che vinni, all'appuntamento al laco non c'era Lovì, ma un trentino allampanato che Damianu gli apprisentò come Turiddru.

«Turiddru pigliò 'u posto di Lovì».

«E Lovì?».

«Sinni vosi ghiri. Dici che 'sta vita non era cosa per lui».

Non ci cridì. Forsi non l'avivano ammazzato come a Randazzo, ma di sicuro, prima di ghittarlo fora, gli avivano fatto vidiri i surci virdi.

Il secunnu cangiamento fu che al posto di Rosa vinni a mungiri le crape 'na fìmmina quarantina, matre di dù figli, che di nomi faciva Ernesta ma che le sò cumpagne acchiamavano la maestra non pirchì portava l'occhiali, ma pirchì era struita assà.

Sapiva 'na gran quantità di storie e certe volte, mentri che stavano a mungiri, qualichiduna di 'ste storie le contava alle cumpagne che l'ascutavano affatate. A Giurlà fici subito sangue. Ernesta contava cose passate dell'antichitate, di quanno gli dei potivano cangiarisi e cangiare a volontà le pirsone in àrboli e armàli e diciva di come 'na beddra picciotta addivintò alloru e di come 'n'autra fìmmina addivintò tarantola.

Due

«E l'antichi ci cridivano a 'ste minchiate?» le spiò 'na vota Gemma.

«Sicuramenti chiossà di nuautri» arrispunnì Ernesta. «E po' chi te lo dici che erano minchiate?».

«Ma non mi fari arridiri!».

«Lo sai che c'è chi dici che macari nui èramo armàli che a lento a lento 'nni semo cangiati in òmini e fìmmine?».

«Davero? E che armàli èramo?».

«Scimie».

Tutte ristaro 'mparpagliate. E ficiro lo stisso pinsero: don Tichino, a taliarlo bono, non era cchiù scimia che omo? Rosa non diciva che quanno si mittiva nudo era priciso 'ntifico a 'na scimia? E allura? Capace che quello scinziato aviva raggiuni e che per don Tichino il cangiamento era stato cchiù lento.

'Na sira Ernesta contò quella di Giovi che si cangiò in cigno per ficcare con una beddra fìmmina che di nomi faciva Leda.

«Con Giovi no e con un cignu sì?» commentò Gemma.

«E come si misi Leda? Alla picorina?» spiò Rosalia.

Tutte si misiro a ridiri.

«L'artisti che si sono immagginata 'sta scena l'hanno sempri pittata con Leda stinnicchiata a gamme larghe e il cigno 'n mezzo» arrispunnì Ernesta.

Un'autra vota contò quella di 'na regina che si chiamava Pasifae e alla quali l'òmini non ci abbastavano mai tanto che si fici montare da un toro e ristò prena sgravannosi di 'na criatura ch'era mezzo omo e mezzo toro.

«E stavota dovitti per forza mittirisi alla picorina» dissi Gemma.

«Sì» confirmò Ernesta. «E si era macari fatta cummigliare da 'na pelli di vacca in modo che il toro non s'addunava dell'inganno».

«Ma 'na vestia non pò imprinari a 'na fìmmina di l'omo» fici la gnà Sunta.

«E manco i nostri mascoli ponno 'mprinari le vestie» dissi Gemma arridenno. «Masannò ccà in questo stazzo lo sai quanti armàli mità crape e mità omo ci sarebbiro?».

E po', talianno senza vrigogna a Giurlà, continuò:

«Giurlà, se Rosa ti veni troppo a mancari, puoi addubbare con qualichi crapa senza scanto di farla figliare».

Giurlà arrussicò e le fìmmine si futtero dalle risati.

La notti, quanno sinni stava corcato, 'ste storie gli tornavano tutte a menti e lui se le ripassava tinennosi abbrazzato a Beba e a ogni ripasso si firmava supra a un dittaglio, a un particolari della scena. A immagginarisi a Pasifae mittuta alla picorina, sutta alle potenti 'ncarcate di un toro, 'na mità del sò sangue gli ac-

chianava al ciriveddro e l'autra mità 'nveci gli scinniva 'n mezzo alle gamme, facennogli addivintari la parti di sutta accussì dura che spisso si doviva piegari in
dù per il forti duluri che gli faciva. Inutili allura pro-
vidiri da sulo. 'N capo a 'na mezzorata la facenna addivintava pejo di prima. E cchiù inutili ancora era nesciri fora a pigliare aria e annarisi a lavari la facci. Pirchì si era a squasi fini aprili e i sciuri erano tutti sciu-
ruti e quel sciauro che uno respirava con l'aria stram-
mava, faciva cchiù effetto d'una bona vivuta di vino.
'Mbriacava al punto tali che 'na notti Giurlà s'attrovò
a corriri nudo per il chiano facenno voci alla luna:
   «Rosa! Rosa!».
   E 'n'autra notti, per sbariarisi e non sapenno chi fari, gli vinni 'n testa di passari tempo raprenno la cascia che era stata di Ramunnu e vidiri che ci stava dintra. Dù libri, tri quaterni scritti fitti, un quaterno novo novo, 'na pinna, 'na boccetta di 'nchiostro, 'na littra accomenzata e non finuta, cinco sacchetti di sali
ognuno di tri chila, un pugnali, cose per cusirisi la
robba come filo, buttuna, spingule e 'na busta china,
ma chiusa.
   Addecisi di tirari fora sulo un libro, tutto il resto lo
rinfilò dintra e rimisi la cascia al posto sò. Quanno si
fu corcato con Beba aggiuccata allato, principiò a leg-
girlo raprennolo a caso. Il libro era stampato strammo.
La pagina a manca era scrivuta in un modo che non s'accapiva 'na palora, la pagina a dritta era 'nveci in taliàno. Di subito gli vinni difficoltoso assà, pirchì doppo
le scoli ogni tanto aviva liggiuto sulo qualichi cosa

scritta supra ai giornali. A picca a picca, doppo squasi 'na mezzorata, arriniscì a leggiri qualichi riga che faciva accussì:

E quando si schiude tutta la grazia della primavera
e un vento leggero corre odoroso tra i rami e le foglie
per primi a salutarla sono gli uccelli con i loro canti...

Vero era! Accussì facivano l'aceddri quanno viniva la primavera e l'aria addivintava profumata! Sfogliò qualichi pagina, continuò a leggiri:

Se la persona amata è lontana, restano però presenti
le immagini sue e il suo nome hai sempre sulle labbra.

Minchia, macari chisto quant'era vero!

Non era stato capace di mittirisi a corriri nudo campagna campagna che pariva nisciuto pazzo chiamanno a Rosa? E quante vote la rividiva mentri si lamintiava sutta di lui? E la facci che faciva quanno allargava le gamme opuro un momento prima di mittirisi a panza sutta?

Ammucciò il libro sutta al pagliuni, astutò il lumi, s'abbrazzò a Beba, principiò a carizzarle le minne come faciva con Rosa.

Erano passati dù misi pricisi da quanno aviva accomenzato a travagliare che 'na duminica Damianu gli pruì 'na littra.

«È di tò patre, me la detti don Sisino che a lui gliela consignò don Pitrino».

Sò patre e sò matre non sapivano leggiri e scriviri.

Maria non era annata a scola. La littra l'aviva scrivuta qualichi vicino. Se la misi 'n sacchetta.

«Non te la leggi?».

«Quanno torno allo stazzo».

«Leggila ora, forsi hanno bisogno di qualichi cosa che devi aviri risposta subbitu e no tra 'na simana».

La littra faciva:

Caro fighlio, noi tutti benne e accussì di te. Ti scrivo che mi si aprisenta una ocasioni di 'na varca che pozzo acatare a sulo. Ci voli pero la capara da pagari. Don Pitrino ci fici 'nticipo di tri misatte a tò matre, tu quanti sordi ai me li manni. Ti saluto tò patre.

«Vossia quanti sordi mè havi?».

«Ora come ora, novantanovi liri contanno macari le quinnici liri che ti guadagnasti a parti».

«Me la pò anticipari 'na lira?».

«Certo».

«Allura 'ste cento liri le mannassi a mè patre».

«Stasira stissa le fazzo aviri a don Sisino».

Si rifici l'acchianata verso lo stazzo cantanno e friscanno. Era orgogliuso d'aviri mannato i sordi a sò patre e questo lo faciva sintiri omo vero, chiossà delle ficcate con Rosa.

Quella sira, non avenno a chi diri la sò cuntintizza, la dissi a Beba che gli stava aggiuccata a lato. Provava un gran càvudo e si livò la coperta di supra, ristanno nudo. Po' gli vinni 'n testa di fari un joco con Beba. Pigliò un sacchiteddro di sali, si stinnicchiò novamenti e si sparmò il sali supra alla facci, il petto, la panza, la parti vascia, le gamme. Beba accomenzò a liccarisillo.

Dù duminiche appresso arricivitti 'n'autra littra.

Caro fighlio, finalmente m'accattai la varca che ora è sulamente nostra e percio il piscato è tuto nostro che non dovemo spartire con nisciuno. Sicome che tra tri simane scate il patto con don Pitrino per il travaglio che gli fai, io non farebbi il rinovo datosi che se tu torni travagli con mia che ho di bisogno. Ti saluto tò patre.

Liggì la littra a Damianu.

«Che voi fari?».

«Non lo saccio. Ma forsi ci torno».

«Fammillo sapiri appena addecidi, accussì haio il tempo di circari a qualichiduno al posto tò».

La sira, quanno Beba gli si misi allato, l'informò che forsi sarebbi tornato a Vigàta.

«Bee».

Che viniva a diri? Che aviva accapito?

«Mi fazzo 'st'urtima simana e po' vossia avvisa a don Sisino che lunidì a matino minni torno a la casa».

«Addecidisti accussì?».

«Sissi».

«Ti voglio diri 'na cosa. Che se ti spercia di tornari ccà, puoi viniri in qualisisiasi momento».

«Grazii».

«Però ti devo addimannare un favori».

«Mi dicissi».

«Puoi ristari fino a mercolidì? La pirsona che piglia il posto tò non può viniri prima».

«Sissi».

«Allura 'nni videmu duminica. Po', mercolidì a matino, ti vegno a pigliare col cavaddro».

Il libro, lo liggiva spisso e cchiù lo liggiva cchiù gli viniva facili. 'Na notti, che era l'urtimo sabato da passari allo stazzo, gli cadero sutta all'occhi tri riga:

Ma è meglio lasciar perdere il ricordo dell'amata,
volgere altrove i pensieri e cercare un corpo qualsiasi
in cui versare l'umore accumulato non più trattenibile.

«Senti ccà» dissi a Beba.

E le liggì con la voci i tri riga che aviva liggiuto con l'occhi.

«Mi vuoi aiutari?» le spiò alla fini.

«Bee» fici Beba.

Allura pigliò il sali e stavota se lo misi sulo supra alla parti vascia.

Ma Beba non si cataminò. Gli stava ferma addritta allato e pariva che lo taliava nell'occhi. Allura stinnì 'na mano, l'affirrò per un corno e circò di farle calare la testa verso di lui. Ma Beba si tirò narrè.

«Che ti piglia? Non ti piaci cchiù il sali?».

«Bee».

La riaffirrò per il corno. Stavota Beba bidì e gli detti 'na rapita liccata che lo fici lamentiari di piaciri. Ma subito appresso si tirò novamenti narrè e non ci fu cchiù verso di farle calare la testa. Allura, arraggiato, satò addritta, il sali gli sciddricò supra al pagliuni. Quanno Beba lo vitti addritta, fici 'na cosa stramma: si voltò con la testa verso la porta.

E accomenzò chiano chiano a fari bee bee come se lo chiamava.

Giurlà scinnì dal pagliuni, le si misi darrè. Beba voltò la testa e lo taliò.

«Bee» dissi.

Allura lui accapì quello che Beba gli stava dicenno di fari. E lo fici.

E lo rifici la matina appresso prima di susirisi. E po' 'n'autri dù voti quanno la sira si ghiero a corcari. Quanno lei si alluntanava per annare a pasculiari, ogni tanto si voltava a taliarlo. E lui non la pirdiva d'occhio un momento. Maria, quant'era beddra quanno satava! 'Na ballarina pariva! E le minnuzze le trimoliavano leggie leggie che a lui gli viniva gana subitanea di corriri a vasariccille. E meno mali che Damianu sarebbi vinuto a pigliarlo il mercolidì matina, accussì aviva qualichi notti di cchiù per stari con Beba. Pirchì 'mmediato, subito appresso che era stato la prima vota con lei, si era sintuto svampari dintra un foco granni che non aviva provato manco alla luntana con Rosa. 'Na smania che gli durava tutto il jorno e che non arrinisciva a passargli mai, manco doppo che erano stati 'nzemmula. E il bello era che non era sempri lui a circari a Beba, ma era Beba che appena che trasiva dintra alla capanna si faciva attrovare pronta. E 'na notti Beba compì l'opira: doppo che avivano fatto l'amuri, si susì riggennosi supra alle ciampe di darrè e quelle di davanti le appuiò al petto di Giurlà. Lui l'abbrazzò. E lei allura che aviva la testa squasi a paro di quella di Giurlà, tirò fora la lingua e gli liccò le labbra.

L'ultima notti che passò allo stazzo prima di pigliari sonno pinsò che era meglio se riportava a Beba dintra al recinto avanti che arrivava Damianu. Ma quella reagì come se aviva accapito. Le ciampe puntate 'n terra, non c'era verso di farla nesciri dalla capanna. Non si lamintiava, non diciva nenti, lo taliava con occhi dispirati. Giurlà, chiangenno, dovitti annare a pigliare un pezzo di corda, attaccariccilla al coddro e strascinarisilla con tutta la forza che aviva fino a dintra al recinto. Ma 'na vota che fu trasuta, non si detti paci e accomenzò a fari il solito mutuperio di sàvuti e cornate. Giurlà, attappannosi l'oricchi per non sintirla fari accussì, sinni scappò. Annò alla capanna, si lavò la facci per non fari vidiri che aviva chiangiuto. Damianu, appena arrivato, s'addunò del malostare di Beba.

«Che havi 'sta crapa?».

«Nenti. Siccome è la cchiù affezzionata, capace che capisci che staio partenno».

Damianu lo lassò al laco indove c'era don Sisino che l'aspittava. Don Sisino l'accumpagnò alla stazioni e gli arrigalò dù forme di tumazzo.

«Torna quanno vuoi. Sei un bravo picciotto. E ccà per tia c'è sempri posto, arricordatelo».

La cosa cchiù terribbili fu la rumorata del treno. Oramà si era bituato al grannissimo silenzio della muntagna e quel fracasso di firraglia gli facìva dolìri l'oricchi. Alla stazioni di Alagona vinnivano cose duci che si chiamavano sfogliatelle. Aviva fami, sinni accattò tri e se le sbafò.

A Montelusa pigliò la correra per Vigàta. Non accanosciva a nisciuno di quelli che viaggiavano. A Vigàta, con la truscia supra alle spalli, trasì nel cafè Castiglione e si accattò 'na guantera d'otto cannoli, dù a testa.

Accussì potivano fari festa per la sò tornata. E po' era il jorno che facìva quinnici anni. Ma quanno arrivò alla sò casa attrovò sulo a sò soro Maria che a vidirisillo davanti fici 'na gran vociata e gli satò d'incoddro.

«Che bello che tornasti! Che bello!».

Gli parse crisciuta come se fussiro passati anni.

«Ora alla casa ci abbado io» gli dissi lei orgogliusa. «Pirchì 'a mamma sinni nesci alle setti per annare da don Pitrino e torna alle sei di sira. Tra un'orata è ccà».

E po':

«Devi vidiri quant'è bella la varca che s'accattò 'u papà!».

E doppo tanticchia, con voci cchiù vascia:

«Tornasti per sempri, vero?».

E l'abbrazzò forti. Tutto 'nzemmula si misi a ridiri.

«Che c'è?».

«Lo sai che feti di crapa? Pirchì non tinni vai a mari?».

Era 'na bella pinsata. Si fici 'na natata che non finì mai.

Le cose 'n famiglia in tri misi erano cangiate, erano addivintate meglio assà e si vidiva a principiare dal mangiare. Ora, pri sempio, 'na vota alla simana sò soro Maria cucinava la carni o la sasizza e non c'era cchiù bisogno di sparagnare supra all'oglio. E si potivano macari tiniri i lumi addrumati sino a tardo pirchì il pitroglio non ammancava. Dal secunno jorno che tornò, sò patre l'arrisbigliò alle quattro del matino per portarisillo a piscari con la varca nova. Oramà ci si era bituato a susirisi a quell'ura epperciò non ne ebbi fastiddio. Siccome che non era pratico a maniggiari la riti, appena che acchianò supra alla varca pigliò 'n mano i rimi.

Chiossà di tri misi avanti, propio 'na decina di jorni prima che lui partiva, a Lollo, il cumpagno di Adelio, gli era vinuta la fevri e non era potuto annare a travagliare. Di nicissità Giurlà era dovuto nesciri al posto sò. Quella jornata passata a rimari gli aviva spizzato la schina, a mità del travaglio, quanno si erano firmati per mangiare, aviva pinsato di non potiri cchiù continuare e la sira era tornato a la casa talmenti stanco e con l'ossa rumputi che manco si potiva cataminare. Ora, a mità di quel primo jorno di rimari continuo, non provava ancora la minima stanchizza, era bello frisco e chino di forza. Adelio, mentri erano fermi dalla pisca per mangiare, gli sorridì: «L'ariata di muntagna t'ha fatto beni, Giurlà, ti rinforzò».

Quanno tornaro a ripa, Adelio addividì il piscato in dù parti, una per don Pitrino e una per se stisso. Ora 'n casa si potivano permittiri di mangiare pisci bono quanno volivano. Se 'nveci non ne avivano gana, Adelio si l'annava a vinniri strate strate.

«Accompagnami da don Pitrino, accussì lo ringrazii e lo saluti».

«Mi fa piaciri rividiriti» gli dissi don Pitrino pruiennogli la mano come a un omo granni.

Lo taliò nell'occhi e continuò:

«Don Sisino m'arriferì che in una certa occasioni hai addimostrato d'essiri un picciotto che sapi campare. Bravo».

Giurlà non seppi che arrispunniri.

«Quanno voi tornare, per tia la porta è sempri aperta».

Appena che foro novamenti in strata, Adelio gli addimannò:

«Che è stata 'st'occasioni che ne parlava don Pitrino?».

Va a sapiri pirchì, addecise 'mmediato che non gli avrebbi contato la facenna di Randazzo.

«Nenti, 'na fissaria. C'erano dù crapari che si stavano sciarrianno e io gli fici fari paci».

Tre

Certo, il mari aperto aviva il sò profumo spiciali, certe vote cchiù forti, certe vote cchiù leggio. Un aduri d'alghe e d'aria salina che soprattutto nelle ure di prima matina che il soli era ancora vascio addivintava accussì pungenti da fari formicoliare le nasche. Ma, gira ca ti rigira, era sempri lo stisso. E il colori del mari cangiava, certo, ma svariava sempri tra il cilestri del sireno e il griggiu della burrasca. 'Nveci la campagna aviva cento profumi che s'intricciavano l'uno con l'autro e addiventavano milli, dumila, la genzianella, la mintuccia, l'erba cipullina, il garofano, la sarbia, il vasalicò... E i colori? Maria quanti ci 'nn'erano! Lassamo perdiri il virdi a tinchitè e in tutte le sfumature possibbili, ma il russo e il giallo? E il blu e il viola?

«A che pensi, Giurlà?».

«A nenti, papà».

'Nzumma, accomenzò che il mari, manco passata 'na simana, a Giurlà pigliò a dargli lo stuffatizzo. E non sulo: la rumorata del mari, che prima che partiva era sirbuta ad accumpagnarlo nel sonno, ora lo distrubbava, gli faciva smorcare il nirbùso, non gli faciva chiuiri occhio se non doppo qualichi orata che sinni stava corcato.

E fu 'na notti di queste, quanno doppo essirisi arra-mazzato nel letto aviva appena pigliato sonno, che Beba gli comparse 'n sogno.

S'attrovava nel chiano indove portava le crape a pa-sculiare, assittato supra alla solita petra a sorvegliari la mannara. I becchi sinni annavano sempri a pasculiari 'n cima alla muntagna supra alla quali s'arrampicava mità del bosco. Isanno l'occhi, vidiva che i becchi stavota non c'erano e che al posto loro ci stava 'nveci Beba. Era immobili e lo taliava.

Pariva un disigno, spiccata com'era contro il cilestri del cielo senza 'na nuvola. La 'mprissioni che provò fu accussì forti da arrisbigliarlo.

E po' c'era 'n'autra cosa che non arriggiva e sinni af-fruntava assà. Quanno stava a mari con sò patre, che era di scarsa palora, la situazioni era sopportabbili, ma la si-ra, quanno sinni stavano assittati al tavolino a mangiare, il chiacchiario di sò matre e di sò soro lo 'ntorduniva, a momenti gli faciva viniri il malo di testa. Per tri misi era stato sempri sulo a mangiare quanno calava lo scuro e quel silenzio gli viniva a mancare. Ma potiva diri alle dù fìm-mine di starisinni 'n silenzio? Avrebbiro pinsato che era nisciuto pazzo. Forsi avrebbi dovuto portari cchiù pacien-za. Di sicuro, a picca a picca, le vecchie bitudini avrebbi-ro ripigliato il sopravvento. Ma ogni notti, immancabile, Beba gli tornava 'n sogno, ferma, in cima alla muntagna.

La prima vota che si rivitti con Pippo e Fofò fu 'na decina di jorni doppo che era tornato. La duminica Adelio nisciva a piscari sulo di matina epperciò Giurlà, nel doppopranzo, s'incontrò con l'amici. Stabilero di rividirisi la sira alle novi. Siccome che Giurlà tiniva i sordi dell'urtima simanata che aviva travagliato, accattò un sciasco di vino e se l'annarono a viviri assittati supra alla pilaja.

Subito Pippo e Fofò gli confidarono un sigreto.

«Fofò e io avemu a 'na fìmmina!» fici trionfanti Pippo.

«E indove l'aviti attrovate?».

«Ne avemo una in dù» precisò Fofò.

«La stissa?» s'ammaravigliò Giurlà.

«La stissa».

«E come faciti?».

«Prima uno e doppo l'autro» fici Pippo arridenno.

«Contatimilla meglio».

«Te l'arricordi a Mela Ragusa?» spiò Fofò.

Non se l'arricordava.

«Quella picciotta vintina, biunna splapita, che sta con sò patre nell'urtima casa di Cannelle, quella doppo il ponti di ferro e che…».

Tutto 'nzemmula se l'arricordò.

«Ma è 'na povira scema!».

«E chi tinni futti? L'essenziali è che le piaci ficcare» dissi Pippo.

E gli contò la facenna. A stari a quanto si murmuriava 'n paìsi, il patre di Mela, che era ristato vidovo quanno sò figlia aviva setti anni, aviva da sempri providuto ai sò bisogni con la picciliddra. Ma da un anno s'era attrovata un'amanti con la quali passava la nuttata della duminica.

E accussì Pippo, 'na duminica sira, si era appostato e doppo 'na mezzorata che aviva viduto a sò patre nesciri di casa, si era fatto di coraggio ed era annato a tuppiarle. Mela aviva rapruto. Era vistuta sulo con la sottana e nenti di sutta.

«Chi vò?».

«Te lo pozzo spiegari dintra?».

S'aspittava che quella come minimo gli sbattiva la porta 'n facci. 'Nveci si scostò tanticchia dalla porta e dissi:

«Trasi».

La casuzza era tutta a piano terra, davanti la càmmara di mangiare, darrè la càmmara di dormiri. Appena trasuto, senza manco rapriri vucca, Pippo l'aviva abbrazzata e visto che quella non sulo non l'alluntanava ma gli si 'mpiccicava con tutto il corpo, le aviva sfilato la sottana, l'aviva stinnicchiata supra al tavolo, aviva accomenzato a fari avanti e narrè e quella non aviva ditto né ai né bai. Anzi, no. A un certo momento aviva principiato a fari mmuu mmuu che pariva 'na vacca e tinenno stritto a Pippo non la voliva finiri cchiù. Prima di ghirisinni, lui le aviva ditto:

«Duminica porto un amico».

Quella l'aviva taliato con l'occhi a palla e non aviva ditto né sì né no.

E accussì macari Fofò era trasuto nella partita. Sulo che ora, mentri Mela sinni stava 'n càmmara di dormiri con uno dei dù, l'altro aspittava nella càmmara di mangiare.

«E la sai 'na cosa?» dissi Fofò. «Sunno dù misi che annamo da lei e ancora non accanosce manco i nostri nomi pirchì non ce li ha mai spiati!».

«E tu come t'attrovi a fìmmine?» gli addimannò Pippo.

Non aviva 'ntinzioni di contare a nisciuno la facenna di Rosa. Taliò all'amici e isò le spalli.

«Sulo crape vitti 'nni 'sti tri misi».

«Beh, dicino che i crapari se la fanno con le crape quanno non si tenino cchiù» fici Fofò.

«Minchiate che si cuntano».

«Senti, ci voi viniri macari tu da Mela?» gli spiò 'mproviso Pippo.

Arrispunnì di sì, macari se non aviva tanta gana. Ma non voliva pariri di meno dei sò amici.

«Stasira glielo spiamo e se accunsenti duminica veni con noi».

«Però c'è 'na cosa».

«Dilla».

«Non pozzo fari tardo. La matina appresso mi devo susiri alle quattro».

«Veni a diri che tu ci vai per primo. Dumani a sira ti saccio diri se è d'accordo o no».

La sira appresso che aviva appena finuto di mangiare, sintì a Pippo che gli friscava dalla strata.

«Scinno un'orata».

«Non fari tardo» gli dissi sò patre.

Con Pippo c'era macari Fofò.

«Mela ha ditto di sì» fici Pippo.

«Ma dici sempri di sì?» spiò Giurlà.

«Per la virità non arrispunnì né sì né no».

«E allura che fici?».

«Nenti. Mi taliò con l'occhi a palla. Epperciò, dato che non dissi no, veni a diri sì».

«Mi sta vinenno di fari 'na pinsata» fici Fofò.

«Quali?».

«Se Mela non dici mai no, la cosa ci potrebbi tornari a favori».

«Cchiù a favori di quanto vi sta tornanno ora?» spiò Giurlà.

«Essì».

«E come?».

«Metti caso che io 'na duminica non ci vaio e al posto mio ci manno a 'n'autra pirsona, Mela sicuramenti manco si fa capace che non sugno io».

«E che tinni veni?».

«Non l'hai accapito? Minni veni che a questa pirsona io lo fazzo pagari bono per ficcare con Mela».

«Minchia!» fici Pippo.

«È 'na pinsata giniali! Noi ci annamo dù vote al misi e al posto nostro ci vanno altri dù. Io dico che 'na decina di liri a pirsona ogni vota ce li danno di sicuro! Deci liri è il minimo! Veni a diri che guadagnamo vinti liri a testa!».

«E non è ditto» s'infervorò Fofò «che Mela non possa continuari a travagliare fino a mezzanotti e passa. Tanto, sò patre prima delle cinco del matino non torna».

«Aspetta che fazzo 'u cunto» dissi Pippo. E doppo tanticchia, sbarracanno l'occhi, sclamò:

«Voi vidiri che Mela addiventa la nostra minera d'oro?».

Giurlà ristò muto. Non gli piaciva la strata che i sò dù amici volivano pigliari.

Quella notti, prima d'addrummiscirisi, si spiò pirchì non aviva mai gana di parlari con nisciuno dei misi passati fora. Sò matre, nei primi jorni che era tornato, gli aviva addimannato come se l'era passata, se aviva patito friddo, che cosa gli davano di mangiare, se gli pisava lo stari sempri sulo, macari se aviva 'ncontrato i lupi, e lui le aviva arrispunnuto a mezze palori, tanto che quella, mezza offinnuta, non gli aviva spiato cchiù nenti. A sò patre non aviva voluto contare il fatto di Randazzo. Ai sò amici non aviva voluto diri che aviva già praticato con una fìmmina. E pirchì non gli era passato manco per l'anticàmmara del ciriveddro di confidari a Fofò e a Pippo la facenna di Beba? Per vrigogna? No, sicuramenti no, tra loro c'era troppa cunfidenzia. Quante vote, nudi supra la pilaja, se l'erano misurata e confrontata per vidiri chi ce l'aviva cchiù longa e cchiù grossa? E Pippo non aviva contato di quella vota che aviva circato di 'nfilarla a 'na speci di pisci che aviva 'na forma pricisa 'ntifica alla natura fimminina? E Fofò non aviva fatto l'istisso con una gaddrina?

No, non era vrigogna, era... ritegno.

Fu questa la palora che gli assumò nella menti. Ritegno. E lo strammò. 'Na palora che gli parse come la cchiù giusta verso Beba e nello stisso tempo come la meno adatta. 'N conclusioni, accapì che la sò esistenzia si era spaccata in dù. Con una differenzia, però. Che appena s'era attrovato in muntagna, non aviva cchiù pinsato al mari. Mentri ora non arrinisciva a livarisi dalla testa i jorni passati con le crape. E questo viniva a significari 'na sula cosa: che quei misi di lontananza avivano pigliato il sopravvento supra a ogni autra cosa.

La duminica che vinni, Pippo e Fofò l'accompagnaro da Mela. E quanno quella vinni a rapriri in sottana e senza nenti sutta, Pippo dissi:

«Dato che per tia è la prima vota, ti lassamo sulo. Tornamo tra 'na mezzorata».

Trasì, chiuì la porta e quanno si voltò Mela sinni era già ghiuta in càmmara di dormiri. L'attrovò che sinni stava nuda allato al letto e lo taliava con l'occhi a palla. Pariva cieca, nella sò taliata non c'era nisciuna 'spressioni.

Aviva minne grosse che le calavano supra al petto, il pilo 'n mezzo alle gamme era accussì biunno che alla luci della lampa a pitroglio pariva bianco. Non l'aviva salutato, non aviva ditto 'na palora. 'Na speci di pupa fatta di carni che aspittava d'essiri usata. Se aviva avuto un minimo di gana, gli passò di colpo. Lei lo taliava e non diciva nenti. Po', visto che lui non si cataminava, Mela si stinnicchiò supra al letto, si portò 'na mano 'n mezzo alle gamme allargate, principiò a carizzarisi. Giurlà sinni tornò nella càmmara di mangiare. Passata 'na mezzorata, sintì tuppiare.

Se la pinsò un momento. Che avrebbi contato all'amici? Ma non fici a tempo a susirisi che già Mela, in sottana, era ghiuta a raprire.

«Com'è annata?» spiò Pippo trasenno con Fofò.

«'Na maraviglia» arrispunnì niscenno.

Quella notti, come oramà gli capitava da tempo, Beba gli comparse in sogno. Ma stavota erano tutti e dù dintra alla capanna. Lui era nudo, mezzo piegato supra di lei e lo stavano facenno. Sì, pirchì macari Beba arrispunniva ai sò ahn ahn facenno bee bee a ogni 'ncarcata e ogni tanto si voltava a taliarlo e aviva l'occhi sbrilluccicanti d'amuri per lui.

Non annò cchiù a trovari a Mela a malgrado che Fofò e Pippo l'invitavano ogni duminica. A gratis, naturalmenti, per amicizia. Pirchì avivano fatto quello che Fofò aviva pinsato e all'autri li facivano pagare. Ora 'n sacchetta avivano i sordi e volivano sempri offriri qualichi cosa a Giurlà, un cafè, un bicchieri di vino... Ma Giurlà arrefutava e finì che allascò la friquenza coi dù per non offennirli dicenno ogni vota di no.

Al deci del misi d'austo, mentri sinni stavano a piscari, dissi a sò patre la sò 'ntinzioni di tornare a travagliare per don Pitrino. Adelio non fici tanta resistenzia, facenno beni i conti, Giurlà rinniva chiossà come craparo. Per farisi aiutare a piscari, avrebbi potuto chiamari a uno qualisisiasi pagannolo qualichi centesimo.

Jorno trenta dello stisso misi, sò matre, sò patre e sò soro l'accompagnaro alla correra. Giurlà ora non aviva cchiù la truscia, ma 'na baligia granni.

«Torni a Natali?» gli spiò sò matre chiangenno.

«Sì».

Ma non ne era sicuro.

Fici lo stisso 'ntifico pircorso della prima vota, però ora viaggiva sulo e non ristò affacciato al finistrino per vidiri il mari che addivintava 'na linia che non si distinguiva cchiù con quella dell'orizzonti e po' scompariva cummigliata da àrboli e terra. Alla stazioni di Castrogiovanni vinni a pigliarlo don Sisino che s'addimostrò, a modo sò, contento di rividirlo. Omo mutanghero pejo di sò patre, gli sorridì, gli dissi:

«Ti trovo bono».

E questo fu tutto. Non se lo portò a passare la nottata a la sò casa ma l'accompagnò direttamenti al laco. Giurlà sinni ralligrò: accussì avrebbi potuto vidiri quella sira stissa a Beba. Damianu, che era già ad aspittarlo, 'nveci gli dissi doppo avirlo abbrazzato:

«Stanotti dormi 'nni mia, c'è troppo scuro per caminare. Allo stazzo ci vai dumani a matino».

«E alle crape 'ntanto chi ci abbada?».

«Non ti prioccupari, allo stazzo c'è ancora Filippo. Po' dumani, quanno arrivi tu, lui sinni va».

Ristò sdilluso. Ma pacienza, oramà era quistioni di ure. Mangiò e si annò a corcare nel pagliuni che Damianu gli aviva priparato nella prima càmmara, quella di mangiare, indove i crapari s'arriunivano la duminica.

L'indomani a matino Damianu pigliò a dù muli dalla staddra che c'era darrè alla casa e sinni partero che il soli era già àvuto, il craparo avanti e lui darrè, con la baligiuna mittuta di traverso davanti alla panza.

Non s'accapiva se la jornata era bella o no, c'era troppa neglia. Ma quanno arrivaro allo stazzo, il soli aviva allucitato ogni cosa. Tutto gli parse eguali a come l'aviva lassato. Le crape non c'erano, a quell'ura era da tempo che erano state portate a pasculiari.

«Io minni vaio» dissi Damianu. «Doppo che hai assistimato le tò cose, vai a trovare a Filippo, accussì ti cunsigna la mannara e sinni pò tornari presto. 'Nni videmu duminica».

Dintra alla capanna non c'era nenti di cangiato. O meglio: c'era qualichi cosa che prima non c'era. Filippo si era 'nfatti accattato 'na pignata, 'na forchetta, un cucchiaro e un piatto. Tirò fora la robba dalla baligia e la misi a posto. Per urtima cavò 'na petra di sali di un quattro chila che si era pigliata dal deposito del porto e la misi 'n terra. Era il rigalo che aviva portato a Beba, accussì, quanno trasiva nella capanna, si potiva fari 'na bella liccata. Niscì fora, s'addunò che l'otri era vacante e che allato c'era uno zappuni. Si vidi che a Filippo piaciva aviri a chi fari con la terra. E 'nfatti, darrè alla capanna, oltre al circolo di petri che faciva da fornello, c'era uno spiazzo che era stato travagliato a letto di simina. E si vidivano qualichi piantina di vasalicò e tante altre troffe d'erbe che lui manco accanosciva. Si misi l'otri in spalla e pigliò l'acchianata verso il chiano. A mità strata si firmò alla cascateddra e si vippi tanticchia d'acqua. S'arricriò, si sintì rinforzato come se si era vivuto un bicchieri di vino bono. Com'è che l'acqua di Vigàta non gli facìva lo stisso effetto? Appena che fu al chiano, isò l'occhi verso la cima della muntagna. C'erano i becchi che pasculiavano. Beba no, non c'era. Ma quanto sei cretino! si dissi. Tu la vidivi in quel modo, addritta 'n cima, pirchì era un sogno, non era 'na cosa vera. Beba di sicuro s'attrovava con le autre crape dintra al vosco. Si era 'mmagginato che Beba, appena che lui arrivava al chiano, gli sarebbi currùta 'ncontro fistanti come un cani che rivìdi doppo tempo il patroni. 'Nveci non capitò.

Quattro

Al posto di Beba gli annò 'ncontro Filippo, che era un quarantino curto e stacciuto coi capilli attaccati all'occhi e dù oricchi granni e longhi che parivano quelli di uno scecco.

«Bono facisti a viniri ccà» dissi a Giurlà. «Accussì io minni vaio subito dato che ho un longo camino per tornari a la casa».

«Novità?».

«E che novità voi? La matina spunta 'u suli e la sira sinni cala. Senti, azzappai tanticchia di tirreno».

«Lo vitti».

«Siminai pitrosino, vasalicò, caroti, spinacio, ravanelli e cucuzzeddra. Veni a diri che te li mangi tu. Se ti fa piaciri, a mità di 'sto misi puoi siminare rapi e favi. La simenza è in un cartoccio nella capanna».

«Senti, la pignata, le pusate e lo zappuni te li porti?».

«Se li vuoi tu, te li lasso. A mia non servino cchiù».

«Grazii» fici Giurlà pruiennogli la mano.

«Prima devo fari 'na cosa» dissi Filippo avviannosi verso il vosco.

Giurlà lo vitti doppo tanticchia tornari fora con una crapa 'ntorno al coddro. A distanza, gli parse morta, pirchì cadiva da tutte le parti e Filippo doviva reggirla con le dù mano. E tutto 'nzemmula, mentri il cori gli sbattiva 'n terra, senza sapirisillo spiegari, sintì che quella crapa era Beba, a malgrado che la testa non si vidiva pirchì pinnuliava darrè alla schina di Filippo. Gli vinni di mittirisi a corriri verso il craparo, ma non arriniscì a cataminarisi, apparalizzato, assammarato di sudori friddo.

«Ora ti saluto» fici Filippo.

Arriniscì, facennosi forza, a raprire la vucca.

«Pirchì ti stai portanno quella crapa?».

«Non servi cchiù, sta morenno».

«È malata?».

«Damianu dici di no. Sulo che non voli cchiù mangiare. Allura me la porto e me la mangio io».

«Glielo dicisti a Damianu che te la volivi pigliari tu?».

«No».

«E allura tu non te la porti. È 'na crapa della mannara. Se manca, io devo darini cunto e raggiuni a Damianu. Posala 'n terra subito».

Lo dovitti diri con un tono di voci accussì fermo e arrisoluto che Filippo, doppo aviri pinsato un momento se era il caso d'attaccari turilla o no, addecisi di bidire.

«Vabbeni, vabbeni, non t'incazzare. Senti, se non mi fai pigliare la crapa, mi dai qualichi cosa per l'orto, 'u zappuni e la pignata?».

Giurlà gli detti tri liri, chiossà del valori della robba, ma addisidirava che quello si livava subito dai cabasisi. Cosa che Filippo fici appena che ebbi avuti i sordi.

Beba stava stinnicchiata 'n terra supra a un scianco, tiniva l'occhi 'nserrati e respirava assaccanno, il sciato le si spizzava a mità. Maria, quant'era addivintata sicca! Le taliò il pilo, il naso, la panza, le raprì la vucca. Non aviva signi di malatia, di certo non mangiava pirchì non aviva cchiù gana di mangiare. Con l'occhi chini di lagrime, si stinnicchiò 'n terra macari lui a panza sutta, principiò a parlarle all'oricchio:

«Ccà sugno, Beba. M'arriconosci? Io sugno, Giurlà. Tornai, mi senti? Beba, per carità, rapri l'occhi! Beba!».

Ma quella non lo sintiva.

Tornò allo stazzo un'orata prima del solito, si carricò a Beba supra alle spalli, però facenno in modo che la testa non le pinnuliasse. Lassò l'otri alla cascateddra ma non si firmò a inchirlo, non voliva perdiri tempo. Fici trasire la mannara nella staccionata, corrì alla capanna, misi a Beba corcata supra al pagliuni e la cummigliò con la coperta. Po' niscì, acchianò fino alla cascateddra, inchì l'otri e tornò alla capanna. Si versò tanticchia d'acqua nella mano e la passò torno torno alla vucca di Beba e po' ripitì il gesto altre dù vote.

«Non fari accussì, Beba! Ora tornai e non minni vaio cchiù!».

Dovitti lassarla pirchì le fìmmine erano arrivate. La truppa non era cangiata e tutte l'abbrazzaro, cuntente che era tornato.

«Rosa mi dissi di salutariti» fici Tanina.

«Come sta?».

«Come 'na papissa. Si fa vidiri ogni jorno al casaro ma non travaglia cchiù a fari ricotta» dissi Gemma.

«E pirchì?».

«Pirchì don Tichino se l'è mittuta 'n casa. Ora fa la patruna. Lei, siccome che è prena di dù misi, gli fici accridiri che il patre era lui. E quel cornuto rimbambito ci ha criduto».

«M'ha ditto macari di diriti che forsi dumani o il jorno appresso ti veni a trovari» fici Tanina.

E subito Gemma, maliziusa, dissi la sò:

La strata già fatta non è cchiù nova,
ma a rifarla cchiù piaciri si prova.

«Basta! Annamo a travagliare!» fici 'mperativo Giurlà.

Finalmenti le fìmmine sinni ghiero e lui potì tornari alla capanna.

Addrumò il lumi. Il respiro di Beba era migliorato, non assaccava cchiù.

Novamenti le vagnò torno torno al musso, po' pigliò 'na manata di sali e gliela sparmò supra alla vucca. Niscì fora, annò nell'orticeddro, c'era 'na piantina adurosa che le crape s'azzuffavano per mangiarisilla, non sapiva come s'acchiamava, la coglì, tornò dintra. Beba stava facenno 'na cosa che gli fici rinasciri la spiranza. A lento, come se faciva 'na grannissima faticata, si liccava il sali ai lati della vucca. Ristò fermo, scantannosi che qualisisiasi movimento avrebbi potuto distrubbarla. Po' lei finì e lui allura a leggio a leggio posò l'erba allato al pagliu-

110

ni, pigliò la sò robba di mangiare e annò ad assittarisi fora con la schina appuiata al palo.

Accomenzò a pinsari che il jorno appresso non avrebbi potuto portari a Beba con le autre crape, non ce la faciva a caminare. Doviva per forza lassarla nella capanna. Che però era senza porta. E se ci trasiva qualichi armàlo grosso, Beba non era in condizioni d'addifinnirisi. S'arricordò che vicino all'orticeddro c'era 'na catasta di rami, l'aviva fatta Filippo per aviri suttamano ligna da ardiri. Finuto di mangiare, tornò nella capanna, Beba era quieta, sempri con l'occhi chiusi. S'assittò supra al pagliuni allato a lei, pigliò la piantina adurosa e gliela misi sutta al naso.

«Talè che ti portai! Mangiatilla!».

Le nasche di Beba, doppo tanticchia, ficiro come 'na vibrazioni liggera liggera. Aviva sintuto il sciauro! Po' Beba raprì la vucca e Giurlà accapì che la doviva civare come si fa coi picciliddri o i malati. Arriniscì a fargliela mangiare tutta, un filo d'erba a vota. Po' pigliò spaco, corda e lumi e niscì fora per flabbicare la porta coi rami e con le dù pelli di crapa. Travagliò tutta la notti.

Tri jorni appresso, Beba arriniscì a rimittirisi addritta. Giurlà se la portò nell'orticeddro e la lassò libbira di mangiarisi tutte l'erbe che voliva.

Quella se la scialò. Il jorno doppo, Giurlà la fici annare a pasculiari con la mannara. Beba, per tutto il camino, gli stetti accussì attaccata che spisso gli 'mpidiva il passo. Quanno arrivaro, Beba ristò a mangiare l'erba e i sciuri del chiano, non annò con le altre nel vosco.

Il soli di quella matina gli arricordò il soli di Vigàta. Le jornate settembrine di quelle parti non erano le stisse jornate che c'erano a ripa di mari. A settembriro a Vigàta si facivano i meglio bagni di mari, pirchì l'acqua non era accussì càvuda che doppo non avivi cchiù la forza di fari un passo e manco il soli era accussì forti che appena t'asciucava t'arrustiva. 'Nzumma, mentri a Vigàta il misi di settembriro era la fini della stati, ccà era il principio dell'autunno. Ma quella matina gli parse d'essiri supra alla pilaja di Vigàta. E provò 'na grannissima gana di farisi un bagno. Addecisi di annare a mittirisi sutta alla cascateddra, tanto alle crape ci avrebbi abbadato Piru. Appena si susì dalla petra, Beba isò la testa a taliarlo, allarmata.

«Torno subito» le dissi.

Arrivato alla cascateddra, si spogliò nudo e s'infilò 'n mezzo all'acqua.

Era accussì fridda che tagliava il sciato, ma doppo tanticchia ci si pigliava la bitudini. Era da cinco minuti che sinni stava accussì, con l'occhi 'nserrati, quanno qualichi cosa gli strisciò supra alla pelli, scinnenno dal petto alla parti di sutta. Di sicuro un sirpenti! Fici un sàvuto narrè, scriddricò, cadì a panza all'aria. Aviva raputo l'occhi, ma li aviva dovuto richiuiri subito pirchì in quella posizioni la forza dell'acqua gli avrebbe fatto satare le palle dell'occhi. Ma quell'attimo di taliata era stato bastevoli per farlo cadiri in uno scanto mai provato. La cosa che l'aviva sfiorato non era un sirpenti, ma un armàlo grosso, 'na granni massa confusa. E tutto 'nzemmula quella massa gli cadì di supra, lo scrafazzò sutta al sò piso. Si vitti perso. Raprì la vucca per fari voci d'aiuto, ma l'acqua a momenti l'assufficò. E po' accapì che s'attrovava sutta a un corpo di fimmina, arriconoscì la forma delle minne contro il sò petto, sintì la tinirizza e la ducizza fimminina delle vrazza che l'abbrazzavano, la dilicata forza delle cosce che stringivano le sò. Si ribbillò, tintò di livarisilla di supra, ma quella l'aviva 'mpasturato. Doviva per forza fari quello che lei voliva. Già, 'mpasturato era, come 'na vota aviva visto fari a un sirpenti con una crapa. Aviva accomenzato a sintiri 'na crapa che da dintra al vosco faciva voci alla dispirata. Doviva esserle capitato qualichi cosa, era chiaro che s'attrovava in difficortà. Si era susuto, era trasuto di corsa nel vosco guidato dalla sò voci e l'aviva attrovata. Tutto si era 'mmagginato, meno quello che vitti. La crapa era stinnicchiata 'n terra, supra a un scianco. Un sirpenti enormi, un verdone, le si era arrutuliato torno torno a ogni ciampa, facennola cadiri e 'mpedendole ogni movimento. E ora sinni stava con la vucca 'ncoddrata a una delle minne e si sucava il latti. Per tanticchia sinni era ristato strammato a taliare, po', col vastuni, aviva cafuddrato 'na gran botta al sirpenti che 'mmediato aviva lassato la presa ed era curruto a 'nfrattarisi. La crapa, che era sulo scantata, si era susuta addritta e aviva ripigliato a mangiare.

«Non me la potivo perdiri 'st'occasioni» fici Rosa arridenno e abbrazzannolo doppo che si erano rivistuti. «Appena t'arriconoscii, non ci persi tempo, mi spogliai e minni vinni sutta all'acqua».

113

Giurlà non dissi nenti e si libbirò dal sò abbrazzo.

«Beh? Che ti piglia?».

«Nenti».

«Non ti piacì?».

«No».

«E pirchì?».

«Non mi piaci accussì, a tradimento».

«Ah, sì? Vui mascoli 'nni potiti pigliari a tradimento e nui fìmmine no?».

«Che sei vinuta a fari?».

«Quello che avemo fatto».

«Vabbeni, e allura dato che hai avuto quello che volivi, ti saluto».

«Talè, nicarè, non ti cridiri tanto 'nnuccenti!» fici, piccata, Rosa.

«Io non ce l'avivo la 'ntinzioni di fari la cosa!» ribbattì Giurlà.

«Però 'na certa parti di tia l'aviva, la 'ntinzioni, eccome se l'aviva!».

«Che ci trase, quella natura è!».

Rosa gli voltò le spalli e principiò a scinniri. Lui aspittò che la fìmmina scompariva, po' si spogliò novamenti e tornò a lavarisi. Non voliva che Beba potiva sintiri il sciauro di Rosa supra alla sò pelli.

Tri notti doppo sintì un gran desiderio di Beba. Lei stava addritta allato al pagliuni e lui allungò 'na mano, le allisciò il pilo e doppo principiò a carizzarle a leggio a leggio le minne. Non era pirchì aviva gana di Rosa o di qualisisiasi autra fìmmina, no, voliva propio a lei, era lei che gli ammancava, che gli dava la smania. Ma Beba non si cataminò. Si vidi che ancora non si sintiva pronta, non aviva ripigliato 'ntera la saluti. Abbisognava portari pacienzia e aspittari.

L'urtima duminica di settembriro, annò come al solito al laco e po', con l'altri, 'n casa di Damianu. Mangiaro, vivero, Damianu pagò la simana a tutti e appresso ristò sulo con Giurlà.

«Attento che ora accomenza la stascione dell'accoppio».

«Che devo fari?».

«Non t'impressionari se i becchi principiano a lottari a cornate».

«Si fanno nesciri 'u sangue?».

«No, ma con le corna si danno gran cornate opuro si mettino corna contro corna e fanno forza fino a che il cchiù debboli accomenza ad annare narrè. Ma certe vote fanno la lotta per una fìmmina. In questo caso sunno cchiù pericolosi».

«Pirchì?».

«Pirchì se tu tenti di dividirli, capace che ti pigliano a cornate tutt'e dù. Ma se accapisci che c'è piricolo che si fanno mali, e c'è bisogno che li sparti, arricordati che non ti devi avvicinari assà, devi aviri sempri 'n mano il vastuni longo e usare quello. Cafuddra lignate con forza, masannò manco ti sentono».

Vinni l'autunno vero.

A Vigàta la stascione s'ammostrava quali era sulo pirchì celo e mari si confonnivano in un unico griggiume che faciva stringiri il cori e spisso già le libbicciate spingivano il mari a mangiarisi la pilaja lassanno a ogni muccuni 'na speci di vava giallastra. Ccà 'nveci l'autunno faciva cangiari i colori, il virdi cidiva il passo al giallo e al marrò, i steli delle piante accomenzavano a 'ncurvarisi, le foglie allascavano dai rami e cangiavano macari gli aduri, addivintavano cchiù acuti come se nella vicinanza della fini volissiro stampari 'n testa all'omo il loro ricordo. Il vosco, per esempio, vagnato dalle prime acque di celo, ora mannava un sciauro cchiù pungenti e resinoso. Pariva un vero e proprio profumo, a momenti eguali a quello che si mittivano la duminica le signure che annavano 'n chiesa. Ma mentri a Vigàta il cangiamento ti faciva massimo massimo mettiri la giacchetta, ccà ti dovivi coprire bono, macari con qualichi pelli di crapa, pirchì l'autunno di ccà corrisponniva allo 'nverno cchiù funnuto di Vigàta.

Ai primi di novembriro le crape parse che accomenzavano a nesciri pazze. Quanno Giurlà le portava a pasculiare, vidiva che nisciuna si 'nfilava cchiù dintra al vosco, ma sinni ristavano tutte nel chiano, a vista. Giurlà le taliava affatato. Non facivano cchiù 'u solito beeee chiano, ma facivano un bè… bè… bè curto e continuo, come se addimannavano di prescia qualichi cosa. Le codi si cataminavano in continuazioni, trimavano come per la terzana. 'Na poco 'nveci accartocciavano le grecchie. Po' capace che tutto 'nzemmula dù o tri si mittivano a corriri giranno in tondo, con Piru che annava appresso a loro abbaianno alla dispirata.

'Nzumma, per qualichi jorno Giurlà stetti cchiù addritta ad assicutare crape che assittato supra alla petra. Ma quello che veramenti lo strammò fu come si comportarono i becchi. Per prima cosa, non se n'acchianarono supra alla muntagna come facivano sempri, ma si misiro in gruppo vicino alla mannara. Giurlà aviva notato che da qualichi jorno avivano pigliato talmenti a fetiri che quanno si viniva ad attrovare suttavento gli smorcava di vommitare. Passavano mità della jornata a darisi cornate. Appresso, un jorno, s'infilaro 'n mezzo alla mannara e accomenzaro a pisciare. Maria che feto che si spanniva nell'aria! Po' s'arrutuliavano supra al tirreno vagnato dal loro liquito e corrivano a dritta e a manca annanno appresso a ogni crapa che principiava macari lei a pisciare, mittennosi 'n modo che lo schizzo fimminino li pigliava 'n testa.

La sira, tornato allo stazzo, spardò tutta l'acqua dell'otri a lavari a Beba che macari lei si era mittuta a fari quello che facivano le autre crape. A prima botta, ne era ristato tanticchia scuncirtato e sdilluso. A vidirla mentri che pisciava supra alla testa di un becco e quanto piaciri provava, allarganno le nasche, a sintiri il gran feto che quello faciva, si era sintuto schifato e tradito. Po' aviva pinsato che Beba non faciva autro che seguiri la sò natura. E lui stisso non aviva arrispunnuto accussì a Rosa? Ma quanno finì l'acqua, Beba continuò a fetiri. Allura pigliò il lumi e principiò ad acchianare verso la cascateddra seguito da lei. La dovitti obbligari, pigliannola per le corna, a mittirisi sutta all'acqua. Per non vagnarisi i vistiti, si era spogliato nudo. Po' la fici nesciri e l'asciucò con una cammisa vecchia. Per ultimo inchì l'otri. Ma avivano appena pigliata la scinnuta per tornari allo stazzo che Beba gli si misi per traverso davanti e non ci fu cchiù verso di farla cataminare. Allura accapì quello che Beba voliva da lui.

Macari all'indomani a matino, appena che arrivaro al chiano, le crape ficiro come il jorno avanti, non trasero nel vosco. I becchi però non si misiro a commattiri, ma si 'nfilaro subito dintra alla mannara, fitenno della vecchia lordia che 'ncrostava il loro pilame e di quella nova. Ma stavota accomenzaro a montare le fìmmine.

Cinque

Quella matina Beba era ristata allato a lui, a malgrado che era ancora nirbùsa. Certe vote, come obbidenno a 'na chiamata silenziusa, principiava a corriri verso la mannara, indove i becchi facivano l'opira sò, e si vidiva chiaro che macari lei aviva gana d'essiri montata, ma po' si firmava e tornava narrè. Tutto 'nzemmula Giurlà s'addunò che dù becchi avivano principiato a 'ncornarsi non per addimostrari la loro forza, ma pirchì avivano veramenti 'ntinzioni di farisi mali. Di certo, era a scascione di 'na crapa che stava a taliarli facenno 'na facci come a diri: finitila prestu, 'sta lotta, pirchì a mia 'ntiressa sulo d'essiri montata e non m'importa da chi tra voi dù. Arricordannosi di quello che gli aviva raccomannato Damianu, corrì verso di loro col vastuni isato e detti dù gran botte supra alla schina dei becchi. Ma quelli continuaro. Allura agguantò il vastuni con le dù mano e l'abbattì con tutta la forza che aviva supra a uno dei dù. Stavota la botta fici effetto. Un becco si tirò narrè. L'altro ne approfittò subito per attaccarlo daccapo, ma lo firmò 'na gran botta di Giurlà. Il becco che sinni era ghiuto per primo non persi autro tempo e montò la crapa. Il secunno becco annò a circarisi 'na crapa disponibbili. Giurlà si voltò per tornari alla sò petra e addivintò di petra lui stisso alla scena che vitti. Beba stava facenno sàvuti e voci dispirate per libbirarisi di un becco che circava di montarla, stanno supra di lei con le dù ciampe di davanti e tintanno di tinirla ferma col piso del sò corpo. Ogni vota che Beba ce la faciva a spostarisi tanticchia cchiù avanti, il becco non mollava e arrinisciva arrè ad acchianarle di supra. Facenno voci come un pazzo, Giurlà travirsò la mannara fitta e, arrivato a tiro del becco, gli detti 'na vastunata da spizzargli la schina. L'armàlo lassò perdiri per un momento a Beba, che sinni scappò luntano, e po', 'mproviso, satò in avanti e gli detti 'na potenti cornata nella panza. La botta gli fici ammancari il sciato e dovitti piegarisi in dù per il duluri. Il becco gli arrivò novamenti contro come 'na palla di cannuni, lo pigliò in pieno petto, lo sollivò in aria, lo catafuttì 'n terra. S'aspittava 'n'autra botta che 'nveci non arrivò. Unn'era annato l'armàlo? Era senza sciato, s'appuiò supra a un vrazzo per taliare. Il becco stava correnno verso Beba che sinni stava ferma e scantata.

L'armàlo sapiva che la crapa ora spittava a lui, dato che aviva abbattuto all'avvirsario. In un vidiri e svidiri Giurlà si misi addritta e principiò a corriri appresso al becco. Aviva scocciato dalla sacchetta il cuteddro e lo tiniva aperto in mano. Arrivò che il becco aviva già mittuto le dù ciampe di davanti supra a Beba. Satò longo supra alla schina dell'armàlo, calò il vrazzo, la posizioni della vestia gli era favorevoli, gli chiantò il cuteddro nella panza e, tiranno l'arma verso l'àvuto, gliela raprì. Beba, sintenno ammollare la presa, scappò novamenti. Il becco s'agginocchiò a lento a lento mentri le 'ntragnisi principiavano a niscirigli dallo squarcio. Giurlà, addritta, lo taliò moriri. Po' sintì un gran silenzio. Tutta la mannara era ferma e taliava a lui e al becco morto. Per un momento pinsò che l'altri becchi l'avrebbiro attaccato per vinnicari la morti del cumpagno. 'Nveci, doppo tanticchia, la monta ripigliò. Sulo che nisciun becco per tutta la jornata s'avvicinò a Beba. Avivano accapito che appartiniva a lui.

«Mi persi un becco» dissi a Damianu quanno l'autri crapari sinni ghiero.

«E come fu?».

«Era alla cascateddra, si pigliò a cornate con un autro becco, sciddricò e cadì nello sbalanco».

Come cadì Randazzo gli vinni gana di diri, ma ristò a vucca chiusa.

«Sei arrinisciuto a ricuperarlo?».

«Sissi. L'ho squartato per livargli le 'ntragnisi e lo tegno appiso a un àrbolo. Quanno vossia acchiana, glielo fazzo vidiri».

«Non c'è bisogno di vidirlo, sutterralo. Senti, don Sisino ha stabilito che 'st'anno la mannara scinni ccà il cinco di dicembriro».

«E unni va?».

«Dall'altra parti del laco, negli stazzi coperti. Lo 'nverno fa friddo assà».

«E le crape che mangiano?».

«Fenu e pastuni, po' ti spiego ogni cosa».

«Fino a quanno ci ristamo allo stazzo coperto?».

«Fino al primo di marzo se il tempo è bono, masannò, se fa ancora troppo friddo, abbisogna aspittari che le crape prene si sgravano».

Sinni tornò pinsiroso per la novità che gli aviva ditto Damianu. Avrebbi potuto continuari a portarisi a Beba nel loco indove sarebbi annato a bitare? Sarebbi ristato sulo o avrebbi avuto compagnia? Era certo che non sarebbi arrinisciuto a spartiri 'na càmmara, o quello che era, con un'autra pirsona. E senza Beba non avrebbi resistuto a longo. L'unica era di aspittari e vidiri come si mittivano le cose una vota sul posto. Ma 'ntanto il pinsero che a brevi tutto sarebbi cangiato l'ammaraggiò.

Il jorno avanti di scinniri al laco con la mannara, fici la baligia con tutte le sò cose. Lo stazzo sarebbi ristato abbannunato per misi e misi e capaci che qualichi vacabunno trasiva dintra alla capanna e si futtiva quello che attrovava. In quel loco c'era stato bono e gli dispiaciva lassarlo. Damianu s'appresentò alle prime luci supra a 'na mula, portannone appresso 'n'autra per Giurlà. Partero, 'n testa Damianu, doppo viniva la mannara con Piru, urtimo stava Giurlà. Beba 'nveci si era 'ntruppata con le cumpagne. Giurlà aviva notato che quanno c'erano nelle vicinanze pirsone stranee, sinni stava luntana da lui. Iunti al laco, Damianu dissi che ci voliva ancora un'urata di camino. Giraro torno al laco fino a che arrivaro a 'na trazzera che non si vidiva indove finiva. Po', doppo 'na curva, Giurlà vitti le costruzioni. Da luntano, ne contò tri, dù granni e una nica nica.

Allura fici accostari la sò mula a quella di Damianu.

«La costruzioni a mano manca è lo stazzo» gli spiegò il craparo. «Quella attaccata è indove si teni il fenu e la cchiù nica è la tò casa».

«Ci abbado io sulo?».

«Pirchì, fino a ora non ci hai abbadato da sulo?».

Si sintì ralligrari. La situazioni era pricisa 'ntifica a quella della muntagna, sulo che ccà era tutto in muratura. Non ci sarebbiro stati probbremi per continuare a stari con Beba.

Lo stazzo ccà aviva un muro àvuto un dù metri che formava un grannissimo rettangolo. 'Na tettoia lo cummigliava tutto e poggiava supra a dei pali àvuti un metro che sporgivano dal muro, accussì l'aria potiva circolare bono. La trasuta allo stazzo era un largo cancello di ligno. La costruzioni allato era cchiù àvuta dello stazzo, era 'na speci di turri accussì china di balle di fenu che l'aduri sturdiva. Ci stavano macari 'na trentina di sacchi ma non accapì che c'era dintra. Vicino alla porta, un carretto spaiato con le stanghe in aria. La sò casa era fatta di 'na sula càmmara. Ma aviva 'na vera porta e 'na finestra. Dintra c'erano un pagliuni pulito, un tavolino con supra il solito lumi a pitroglio da carritteri, dù seggie, un fornello in muratura con la ligna già pronta ammassata 'n terra e tutto quello che abbisognava per cociri e mangiari appizzato al muro.

C'era macari 'na mezza buttiglia d'oglio! Tra dù angoli, un filo di ferro sirviva per appinniricci cammise e càvusi. Fora, allato alla porta, propio sutta a un tubo che sporgiva dal tetto, ci stava 'na giarra china d'acqua per lavarisi.

Era acqua di celo, da quelle parti doviva chioviri spisso.

Mentri mangiavano, Damianu gli spiegò quello che doviva fari.

«Ogni matina, per prima cosa, fai nesciri le crape. Po' pigli cinco balle di fenu e le porti dintra allo stazzo col carretto».

«E il carretto chi lo tira?».

«Tu. Quanno sei dintra, sciogli le balle e spargi 'n terra il fenu, col forcone. Po' fai trasire la mannara. Ogni matina devi fari la stissa cosa. Torno torno al muro, dintra allo stazzo, ci stanno deci vasche vascie di zinco. Ogni sabato matina, 'nveci del fenu, pigli dù sacchi di ciusca dal deposito».

«E che è la ciusca?».

«Aspetta, come si chiama, ah, sì, crusca. La sparti nelle deci vasche, le inchi d'acqua e l'arrimini con un pezzo di ligno. Questo è il pastuni».

«L'acqua indove la piglio?».

«Darrè allo stazzo c'è un pozzo d'acqua amara».

«Ma le crape quanno vivino?».

«Ogni dù jorni, verso le quattro del doppopranzo, le porti al laco».

«Le fìmmine quanno venno a mungiri?».

«Prima della scurata, a 'u solito. Ah, ti voliva diri

che da oj e fino a quanno stai ccà, la paga cangia. 'N-
veci di 'na lira e mezza, dù liri».

«Pirchì?».

«Pirchì ccà travagli chiossà».

Visto e considerato come si erano mittute le cose, non
c'era di bisogno che Beba sinni stava il jorno dintra allo stazzo con la mannara. Se la portò nella sò casa e ogni
matina le dava il fenu appuiannolo al muro di fora se non
chioviva opuro mittennolo supra al pavimento se faciva
acqua. Tanto Beba non ne lassava un filo. Il pastuni 'n-
veci glielo priparava dintra a un vecchio cato che aviva
attrovato nelle vicinanze del pozzo. La porta la tiniva
sempri aperta, accussì lei potiva starisinni dintra o all'a-
perto a piaciri sò. Ogni tanto le dava un pugno di sali:
dintra alla turri del fenu cinni stavano dù sacchi.

A Natali, mannò a diri alla sò famiglia con don Sisino che aviva troppo chiffari e che non potiva tornari per qualichi jorno come avrebbi voluto.

Era per mità vero e per mità fàvuso. Damianu gli aviva ditto che se voliva tornari per una simana al pàisi
avrebbiro avuto difficortà a trovari a 'n'autra pirsona
e lui aviva arrispunnuto che sarebbi ristato. Ma a sò
patre mannò tutta 'ntera la paga, non ci ammancava
manco un centesimo.

'Na sira, che erano l'urtimi jorni di fivraro e le fìmmine sinni stavano ghienno, la gnà Santa vitti a Beba
vicino alla casa. Le s'avvicinò, la taliò.

«Com'è che 'sta crapa non è prena?».

«E vossia come fa a capiri che non è prena?».

«Dalla monta alla figliata ci vonno centuquaranta jornate. Ne sunno passate centutrenta e chista non havi manco le minne 'ngrossate, non fa latti. Signo che non è prena. E 'na crapa che non figlia e non fa latti non servi a nenti. E po' pirchì sinni sta fora e non è dintra allo stazzo?».

Forsi la meglio era contarle la mezza missa.

«Mi teni cumpagnia».

«Ah» fici la gnà Santa taliannolo a longo.

Doppo scotì la testa, gli voltò le spalle e sinni annò con l'autre fìmmine.

Terzo

Uno

Uno non si 'nn'adduna di come corri 'u tempo. E che è, un lampo? La sciammata di un dù botti? Accà che sei accussì nico che manco sai tiniriti addritta accà che t'arritrovi omo fatto. Forsi pirchì facenno sempri le stisse 'ntifiche cose, matina e sira, senza mai sgarrare, 'na jornata si confonne tanto con quella di prima e con quella di doppo che di tri jornate tinni parino passate una sula. Accussì Giurlà s'attrovò ad aviri diciott'anni tutto 'nzemmula, e sulo pirchì 'na duminica matina Damianu gli pruì 'na cartolina che gli aviva data don Sisino al quali l'aviva consignata don Pitrino che l'aviva avuta da sò patre. La liggì, dato che ora a forza di leggiri e rileggiri il libro di Lucrezio attrovato nella cascia, con la liggiuta e la scrivuta ci aviva pigliato confidenza, e accapì che lo chiamavano alla visita di leva. Si doviva prisintari il vinniridì della simana che viniva, all'otto di matina, alla Capitaneria di Vigàta.

«E po' doppo la visita che mi succedi?» spiò a Damianu.

«Che se i dutturi ti fanno abbili, vai a fari il sordato di mari, 'nveci se ti riformano non ci vai».

«Ma io non ci voglio annare a fari il sordato, né di mari né di terra, non m'appriscento!».

«E quelli ti mannano i carrabbineri che t'arrestano, ti portano 'n càrzaro e po' ti spidiscino lo stisso a fari il sordato».

«Veni a diri che quanno venno i carrabbineri, io non mi fazzo attrovare».

«Aspetta, prima di diri e fari minchiate! La sai 'na cosa? Don Sisino non ti voli perdiri».

«E chi pò fari per mia?».

«Dici che oj stisso annava a parlari col marchisi di Santa Brigida».

Giurlà non l'aviva mai 'ntiso nominari, a 'sto marchisi. Damianu l'accapì dalla facci e gli spiegò.

«'U marchisi è il patroni di tutto, delle mannare, del vosco, del laco, di tutta la terra indove tinemo picore, crape, vacche».

«E don Pitrino?».

«Don Pitrino ne possedi 'na parti, ma amministra tutto per conto del marchisi».

«Unni abita?».

«A Castrogiovanni, nel sò palazzo».

Mentri sinni tornava allo stazzo, aviva il cori tanto stritto che gli pariva addivintato nico quanto un osso di nespola. Non era tanto pirchì non voliva annare a fari il sordato, ma pirchì la sò partenza, di certo, avrebbi significato la morti sicura di Beba. Quella, o si lassava moriri di fami, come già aviva tintato di fari, opuro l'avrebbiro scannata dato che non figliava e non faciva latti. E lui, comunqui, ci sarebbi arrinisciuto a stari chiossà di un anno luntano da lei? Aviva la cirtizza che no, non ce l'avrebbi fatta. E ne aviva la riprova. In tutto questo tempo a Vigàta era tornato sulamenti dù vote e tutte e dù le vote c'era ristato tri jorni. Alla secunna jornata già accomenzava a smaniare per la mancanza di Beba.

Il jorno appresso, lunnidì, che aviva portato la mannara a pasculiare nel chiano, vitti arrivari a Damianu.

«Mi manna don Sisino. Dice accussì che dumani a matino, doppo che hai portato ccà la mannara, ti vesti bono e scinni al laco. T'aspetta don Sisino. Il marchisi gli dissi che lui prima di raccumannariti ti voli accanosciri».

Si sintì pigliari dallo scanto. S'appagnò al pinsero di doviri parlari con un marchisi. Avrebbi accapito quello che il marchisi gli diciva nella sò parlata di nobbili? Circò di trovari 'na scusa.

«E ccà chi ci abbada?».

«Fai 'n tempo a tornari nel doppopranzo».

Passò 'na nottata squieta, abbrazzato a Beba:

«Tu che dici? Ci arrinesci il marchisi a non farmi fari il sordato?».

Mai l'aviva viduto un palazzo accussì granni come a quello del marchisi.

Faciva scanto al sulo trasiricci dintra. C'erano càmmare accussì granni che avivano l'eco come quanno uno si mittiva a fari voci dalla cima della muntagna indove portava a pasculiari le crape.

«Ma in quanti ci bitano ccà dintra?».

«Iddro sulo. Sò mogliere la marchisa morse tanti anni passati».

«E basta?!».

«La stati veni la figlia che studia nella Sguizzera».

Ma non si pirdiva ddrà dintra 'na pirsona sula?

Un tali tutto vistuto d'oro sparluccicanti fici loro 'nzinga di annargli appresso. Acchianaro scalonate di màrmaro, passaro traverso saloni a momenti granni quanto lo stazzo indove si tinivano le crape tutti chini di quatri e di statue.

«È 'u marchisi?» spiò Giurlà a voci vascia.

«Un cammareri è».

Minchia! Se un misirabbili cammareri si vistiva d'oro, di che si vistiva 'u marchisi? D'autra parti, unni ti votavi votavi, tutto era d'oro, li specchi, le putrune, i divani, i mobili. Il cammareri tuppiò a 'na porta coi disigni d'oro e 'na voci dissi:

«Avanti!».

Trasero. Il cori di Giurlà corriva come un treno. Il marchisi era un cinquantino vistuto normali, d'oro aviva sulo l'occhiali. Era sicco, àvuto e biunnizzo con una varbuzza di crapa. Stava addritta vicino a 'na finestra granni e taliava a 'na farfalla morta con una lenti. Tutta la càmmara era china di quatri appizzati ai muri, ma 'nni 'sti quatri c'erano farfalle a tinchitè. Però la cosa che strammò a Giurlà fu 'na fotografia a grannizza naturali di 'na picciotteddra beddra come 'u suli che stava 'ncorniciata supra a 'na basi di ligno allato allo scagno del marchisi. Il quali, voltannosi, vitti a Giurlà 'ngiarmato.

«È mia figlia Anita a sedici anni. Ora ne ha diciotto».

Taliò a longo a Giurlà. Il quali, sutta a quella taliata, accomenzò a sintirisi sudari. Po' il marchisi s'addecisi a parlari.

«Mi dicono che non vuoi andare a fare il soldato, è vero?».

Meno mali! Parlava taliàno, ma si faciva accapiri.

«Vero è».

«Perché non lo vuoi fare? Guarda che è una buona occasione per conoscere gente diversa, paesi nuovi».

«Non mi 'nteressano».

«E che t'interessa?».

«Quello che fazzo».

«Ti piace stare con le capre?».

«Sissignuri».

«E come passi il tempo? Sai almeno leggere?».

«Sissi».

«E che leggi?».

«Staio liggenno a uno che si chiama Lucrezio».

Il marchisi strammò.

«Leggi Lucrezio in latino?!».

«Nonsi, in taliàno».

Non dovitti cridirgli, pirchì gli spiò:

«Te ne ricordi qualche verso?».

Giurlà attaccò:

Bisogna sapere che la morte non è da temere
perché chi non esiste non può essere infelice...

«Basta così» dissi il marchisi.

E ripigliò muto a taliarlo. Doppo sclamò:

«È un bel problema!».

«Pirchì, cillenza?» spiò don Sisino.

«Non lo vedi tu stesso? È un cristone alto, bello, robusto e pieno di vita. Sarà difficile farlo riformare. Comunque, ci provo. Don Pitrino ha tutti i dati e io gli ho detto a chi deve andare a parlare a nome mio. Ad ogni modo tu, giovinotto, presentati puntualissimo alla visita. Fai tutto quello che ti dicono e speriamo bene».

Tornò alla finestra a taliare la farfalla. Don Sisino detti 'na liggera ammuttata a Giurlà, signo che sinni dovivano annare.

«Baciamolemano, cillenza», ficiro 'n coro niscenno dalla càmmara.

'Na cinquantina e passa di picciotti come a lui, tutti 'n fila, nudi completi, con in mano un foglio di carta che gli avivano dato alla trasuta e supra al quali c'erano scrivuti nomi e cognomi sò, data di nascita e 'ndirizzo. Con quel foglio, tutti si cummigliavano le vrigogne. Vinivano pisati, misurati d'artizza e di petto, po' un medico li visitava. Tutto quello che arrisultava, lo scrivivano supra al pezzo di carta che alla fini un marinaro consignava a uno dei tri ufficiali di marina che stavano assittati darrè a un tavolo. Quanno vinni il turno sò, il medico in cammisi bianco, doppo avirlo visitato, gli dissi: «Cammina fino in fondo alla stanza e poi torna».

Giurlà lo fici, il medico scrissi qualichi cosa e passò a un autro. Quanno Giurlà vinni chiamato al tavolo, l'ufficiali che stava 'n mezzo dissi:

«Peccato! Saresti stato un bel marinaio. Purtroppo sei riformato. Hai i piedi piatti».

E che erano, 'sti pedi chiatti? Certo che non doviva essiri 'na malatia gravi, dato che lui si sintiva bono. Ma comunqui sinni stracatafuttiva, l'importanti era che il marchisi ci era arrinisciuto.

I sò avivano cangiato casa, sinni erano affittata una cchiù granni, ora se lo potivano permittiri. Dù càmmare di dormiri, la cchiù nica era per Maria, e una di mangiare. Per lui conzaro un letto provisorio propio nella càmmara di mangiare. Signo che oramà sò patre e sò matre non lo consideravano cchiù stabbile nella famiglia. L'urtimo dei tri jorni che stetti a Vigàta, la sira, mentri stavano mangianno, sò patre gli dissi:

«Lo sai di Pippo e Fofò?».

«No. E cu me lo doviva diri?».

«'N galera stanno».

«E pirchì?».

«Violenza carnale continuata e sfruttamento della prostituzione, accussì dici la cunnanna. Avivano pigliato a 'na povira picciotta, 'na mezza scema e non sulo sinni approfittavano, ma la vinnivano macari a chi la voliva».

Lo sapiva che sarebbiro annati a finiri accussì.

'Na duminica matina, scinnenno al laco, 'nveci d'attrovare a Damianu attrovò a don Sisino.

«Passannaieri» spiegò don Sisino a Giurlà e all'autri crapari «la mula di Damianu truppicò e lui cadì 'n terra. Nella caduta, prima sbattì forti la testa contro 'na petra e si la ruppi, po' sciddricò per vinti metri dintra a uno sbalanco. L'hanno portato allo spitale di Castrogiovanni. Provisorio, ci sto io al posto sò».

I crapari non raprero vucca, manco per dispiacirisi della disgrazia. Era cosa cognita che davanti a don Sisino si stava sulo in silenzio ad ascutare quello che diciva, e basta.

«E ora com'è?» spiò 'nveci Giurlà che a Damianu era fezzionato.

«I dottori ci sperano. E ora annamo 'n casa di Damianu che vi pago la simana e vi dugnu le cose di mangiari».

Damianu morì dù jorni doppo.

Quanno lo vinni a sapiri che glielo dissi la gnà Sunta, Giurlà passò la nuttata abbrazzato a Beba e ogni tanto gli spuntavano le lagrime. 'N funno, era la prima pirsona amica che gli viniva a mancari.

La duminica appresso, don Sisino, doppo aviri dato la paga a tutti, dissi a Giurlà di ristari. Gli offrì un bicchieri di vino e uno se lo virsò per lui.

Vippiro 'n silenzio. Giurlà era curioso di sapiri che voliva da lui don Sisino, ma non spittava a lui parlari per primo.

«Parlai col marchisi e con don Pitrino e sunno d'accordo con mia» dissi tutto 'nzemmula il camperi.

«Per fari chi?».

«Ti pigli tu 'u posto di Damianu».

Giurlà si sintì 'ntronare. Aviva sintuto chiaro, ma pinsava lo stisso di non aviri capito bono.

«Che disse?».

«Dissi che da ora in po' tu pigli il posto di Damianu».

Non ci potiva cridiri. Non potiva essiri vero, don Sisino stava babbianno. E gli vinni il dubbio che, se la cosa era vera, lui non ne sarebbi stato capace.

«Ma l'autri crapari sunno tutti cchiù granni di mia!».

«E che 'mportanzia havi? Tu sei il cchiù 'ntelligenti di tutti e sai come fariti valiri. Sai leggiri e scriviri. T'arrimini bono coi nummari. Al posto tò, torna Filippo. Tu tinni veni a stari ccà. Ogni jorno vai a visitari una delle quattro mannare, il sabato veni 'nni mia a Castrogiovanni e io ti dugno la paga e la robba di mangiare per tutti. La tò paga addiventa di quattro liri al jorno».

E Beba? Avrebbi dovuto abbannunarla? No, manco se lo pagavano cento liri a jornata. La meglio era di diri a don Sisino 'na mezza virità.

«A mia mi piaci stari con le crape» fici risoluto.

Don Sisino replicò 'mmediato.

«Se ti piaci il latti frisco, ti pigli dù o tri crape e te le porti ccà. Martidì matino, appena arriva Filippo, tu scinni al laco e io t'accompagno a vidiri l'autre tri mannare».

Tornanno, si fici l'acchianata squasi di cursa. Voliva subito diri a Beba la bella novità che gli era capitata.

Il martidì matino don Sisino l'accumpagnò a cavaddro nella mannara di Turiddru, quattrocentocinquanta crape a dù ure di camino in un posto acchiamato monti Capra, seicentocinquanta metri d'artizza.

«Giurlà piglia 'u posto di Damianu».

«Aguri» fici Turiddru.

Il doppopranzo 'nveci lo portò alla mannara di Giuvanni, un'orata abbunnanti di camino, ducento crape, a mezza costa d'una muntagna di setticentocinquanta metri che era chiamata Dainu.

«Giurlà piglia 'u posto di Damianu».

«Mi compiacio» fici Giuvanni.

La sira, morto di stanchizza, annò per la prima vota a dormiri nella casa che era stata di Damianu. A malgrado che aviva l'ossa rutti, sintì la mancanza di Beba. Che faciva? Sicuramenti Filippo l'aviva mittuta nello stazzo. E lei l'aviva accapito che sarebbi tornato presto?

Il jorno appresso annaro nell'urtima mannara, quella di Mattè, ducentoquaranta crape, un'orata e mezza di camino, allocate in un chiano a quattrocento metri d'artizza supra a un paisuzzo ditto Villapriolo.

«Giurlà piglia 'u posto di Damianu».

Mattè allargò le vrazza e non dissi nenti.

Quello stisso doppopranzo, acchianò con la mula allo stazzo, pigliò la sò robba e il libro di Lucrezio, misi tutto nella baligia e aspittò la mannara che tornava. Vitti subito a Beba e la squietatezza gli passò.

Annò a pigliarisilla tinennola per un corno.

«Questa la porto con mia».

«Vabbeni» dissi Filippo senza addimannari spiegazioni, dato che ora Giurlà era addivintato il sò capo. L'aviva saputo dalle fìmmine che vinivano a mungiri.

Giurlà sinni partì con la baligia davanti alla panza e Beba che gli annava appresso.

«Ccà staremo benissimo» le dissi appena che trasero nella casa di Damianu, acculannosi per abbrazzarle il collo. Lei voltò la testa e gli liccò la facci. Darrè alla casa c'erano 'na staddra indove ci stavano 'na mula e un cavaddro, un magazzino con sacchi di ciusca e di farina, varlirotti di passuluna, aulive e sarde salate, ripiani di ligno con supra forme di tumazzo e tante autre cose di mangiare, e po' ancora un forno capente, un pozzo e un orto granni. Ogni sabato matina arrivava donna Mariana, 'mpastava la farina, famiava il forno e priparava il pani frisco bastevoli 'na simana per Giurlà e l'autri crapari. Ma quanno viniva l'ura di mangiari Giurlà non ristava dintra alla casa, sinni nisciva fora col pani e il companatico in una mano e nell'autra il cato col pastuni per Beba e sinni annava ad assittari 'n terra con le spalli appuiate a un àrbolo. Beba gli si mittiva allato e i dù mangiavano 'nzemmula allo stiddrato! L'aria frisca che trasiva dintra alla vucca tra un muccuni e l'autro era il migliori condimento del munno criato!

Quanno lui annava negli stazzi, usava pigliari la mula. Si sintiva cchiù sicuro pirchì il cavaddro era 'na vestia nirbùsa assà che s'appagnava per nenti. Quello era capaci di farigli fari la fini di Damianu. 'Na sira, tornanno, scinnì dalla mula che sinni corrì subito da sula nella staddra e notò che Beba non gli era vinuta 'ncontro come oramà era addivintata bitudini. 'N casa non

139

c'era. S'apprioccupò e si misi a circarla campagna campagna, la chiamò a longo sempri cchiù scantato e affannato, ma non ebbi risposta. Siccome che oramà faciva scuro, tornò 'n casa per pigliari un lumi e continuari la cerca. Ma s'arricordò che non aviva livato la sella alla mula e trasì nella staddra. Beba era là dintra e s'addivirtiva a jocare col cavaddro. Gli satava torno torno e ogni tanto gli dava qualichi cornateddra, il cavaddro arrispunniva dannole 'na musata liggera. Giurlà sinni ralligrò. Beba, quanno lui non c'era, avrebbi avuto bona cumpagnia.

Due

Un doppopranzo tardo del primo jorno di luglio, che era un vinniridì, mentri tornava a la casa, fatta 'na curva a mezza costa doppo la quali si vidiva cchiù in vascio tutt'intero il laco, s'addunò che a ripa c'erano tri carretti dai quali 'na poco d'òmini scarricavano robba che non accapì di che si trattava.

Lui doviva occuparisi sulo delle crape, era il suprastanti delle mannare, epperciò non era doviri sò annari a vidiri che faciva quella genti, semmai la facenna era di spittanza di don Sisino, 'u camperi. Capace però che don Sisino non ne sapiva nenti. Però tutto 'nzemmula gli vinni a menti che in quel laco s'abbivirava 'na mannara e che se quell'òmini facivano qualichi cosa che 'ntrobbolava l'acqua la cosa l'arriguardava direttamenti. Perciò, salutata a Beba e lassata la mula, sinni scinnì a pedi verso il laco. L'òmini stavano scarricanno da dù carretti pali di ligno e granni pezzi di tila colorata virdi e gialla. Supra al terzo carretto ci stava 'nveci 'na varcuzza aliganti, di ligno chiaro, accussì nica che pariva un giocattolo.

Un omo àvuto e sicco dava ordini e a Giurlà gli parse d'avirlo già viduto.

Stava per rapriri vucca per dimannargli spiegazioni di tutto quel trafico, ma quello parlò per primo:

«Voi siete Giurlà?».

«Sì».

«Questa è per voi» fici l'omo pruiennogli 'na busta. Fu allura che Giurlà l'arriconobbi. Era il cammareri tutto vistuto d'oro che aviva scangiato per il marchisi. Raprì la busta, tirò fora il foglio:

Carissimo, mia figlia è tornata dalla Svizzera dove si è abituata a passare l'estate ai laghi. Ama i posti solitari e quindi il lago di Pergusa è escluso per la presenza di troppi contadini e cacciatori. Il lago di Villarosa mi pare il più adatto, inoltre durante la stagione estiva non serve nemmeno da abbeveratoio per le capre. Stai attento che nessuno la disturbi. Don Sisino mi ha detto che è tradizione che i caprai s'incontrino al lago la domenica mattina. Fai in modo che questo non avvenga più per tutto il periodo estivo. Mettiti a completa disposizione di mia figlia in caso di bisogno.

Non c'era manco la firma.

«Vabbeni» dissi.

Voltò le spalli e sinni tornò a la sò casa.

Il jorno appresso, quanno annò a pigliari i sordi e la robba, don Sisino gli spiegò meglio la facenna.

«Da lunedì che veni, tutte le matine, duminica comprisa, la marchisina Anita, verso le deci del matino, s'appresenterà al laco».

«Come ci arriva?».

«'N carrozza. Ma la carrozza sinni va subito e torna a pigliarla verso le sei di doppopranzo».

«E resta sula?».

«No, con la cammarera».

«E per mangiari come fanno?».

«Si portano appresso tutto. Sta attento, Giurlà, che 'u marchisi mi dissi che sò figlia è tanticchia fissata».

«Supra a cosa?».

«Quanno si cala dintra all'acqua non voli essiri viduta da nisciuno. Masannò succedi un burdello. Tu stisso non ti fari vidiri. Ma se ti chiamano, curri».

Quanno la duminica arrivaro i crapari, Giurlà gli spiegò che per tutta la stati dovivano annare direttamenti nella sò casa, senza passari per il laco. Indove tutto era oramà pronto per l'arrivo della marchisina. A ripa c'erano 'na granni tenda fatta a circolo e un'autra nica nica. Tutte e dù avivano 'na speci di porta di tila che si chiuiva e si rapriva con una filera di cinco grossi bottoni. La varchiteddra, senza rimi, stava propio supra alla sponda, bastava un ammuttuni per farla scinniri in acqua. Quella sira stissa, che era appena nisciuto fora per annare a mangiare, vitti a Beba fari un sàvuto in avanti e agguantari con i denti qualichi cosa che c'era 'n mezzo all'erba, nel posto indove lui s'assittava sutta all'àrbolo. Beba isò la testa, sempri tinenno 'n vucca quello che aviva addintato e Giurlà accapì che si trattava di 'na vipira. Era la secunna o terza che vidiva, ma sempri nel loco indove portava le crape a pasculiare. Questo viniva a significari che cinni erano ma-

143

cari da quelle parti. Si calò, pigliò la vipira oramà morta e la ghittò luntano.

Finuto ch'ebbi di mangiare, gli vinni un pinsero. Ristò dubitoso tanticchia, po' s'arrisorbì. Trasì 'n casa, strazzò 'na pagina da un quaterno, pigliò il lapis e scrissi:

Taliate bene quanto trasite nelle tente se ci sono vipire.

Lo riliggì, non gli sonò, di sicuro c'era qualichi sgrammatichizzo. Non voliva fari malafiura con Anita. Pigliò il libro di Lucrezio e si misi a taliarlo. Mano a mano che 'ncontrava le palori giuste, le scriviva a parti.

Il novo biglietto, scrivuto a notti funna, arrisultò accussì:

Guardate bene quando entrate nelle tente perché ci sono vipere.

Scinnì al laco, 'nfilò il foglio tra un bottoni e l'autro e sinni annò a dormiri.

All'indomani sira attrovò appizzato con una spingula supra alla porta della sò casa lo stisso foglio che aviva adoprato. Nella facciata bianca ora ci stava scritto: «*grazie*».

'Na simanata appresso attrovò un autro foglietto:

Posso portare con me la vostra bella e simpatica capretta quando vado in barca?

A prima botta, gli vinni di diri di no. Non sapiva come Beba avrebbi pigliato la cosa, non era mai stata din-

tra a 'na varca supra all'acqua, capace che si pigliava
di scanto. Ma po' arriflittì che non avrebbi potuto ar-
refutare, non si potiva nigare un piaciri alla figlia del
marchisi, capace che se la pigliava a malo. E po' era certo che Anita a Beba ci sarebbi stata attenta. Perciò voltò
'u foglio, ci scrissi «*Sì*» e annò a 'nfilarlo indove aviva mittuto il primo.

Quanno la sira appresso abbrazzò a Beba sintì che
il sò pilo aviva un aduri strammo. Che era? La sciaurò
centilimetro appresso a centilimetro per accapire. E
tutto 'nzemmula accapì. Non potiva che essiri il profumo d'Anita, si vidi che a Beba se l'era tinuta stritta a longo.

Fu proprio questo profumo che ogni notti sintiva supra a Beba a fargli viniri 'na grannissima curiosità di
vidiri com'era fatta di pirsona la figlia del marchisi, dato che l'aviva viduta 'na vota sulo 'n fotografia. Che
mali c'era? L'avrebbi taliata a distanza.

Un jorno si susì alle quattro del matino, annò nella
mannara di Giuvanni che era la cchiù vicina e tornò
che erano le novi. La carrozza non era ancora arrivata. Beba lo taliò tanticchia strammata, non era bitua-
ta a vidirlo a quell'ura di matina.

«Bee».

«Nenti, nenti. Resta ccà».

Ma quanno Giurlà principiò a scinniri verso il laco,
lei accomenzò ad annargli appresso. No, non potiva sta-

ri con lui, l'avrebbi fatto scopriri. La sò 'ntinzioni era quella di ammucciarisi darrè a qualichi troffa d'erba serbaggia e vidiri ad Anita quanno arrivava. Però abbisognava assoluto libbirarisi di Beba. Allura s'addiriggì alla staddra e le dissi:

«Stai ccà e joca col cavaddro».

«Bee».

Era d'accordo o no? Ma appena Giurlà niscì lei fici lo stisso. Non era d'accordo. Ma pirchì non voliva jocare? Forsi che aviva accapito la sò 'ntinzioni ed era gilusa?

«Ti dissi di jocare col cavaddro».

«Bee».

Aviva ditto di no. E 'nfatti ristò ferma a taliarlo.

Allura le s'avvicinò per pigliarla per un corno, ma lei, che stava attenta a ogni sò minimo movimento, prima fici un sàvuto narrè e po' s'allontanò di qualichi passo.

«Veni ccà!».

«Bee».

E non si cataminò. Abbisognava ricorriri all'inganno, non c'era autra strata. Giurlà le voltò le spalli e fici finta di ghirisinni, ma quanno sintì che Beba era darrè a lui si voltò di scatto per affirrarla. Lei fu cchiù viloci, si scansò e accomenzò a corriri assicutata da Giurlà. Non ci fu verso d'agguantarla. A un certo punto, senza cchiù sciato, dovitti lassarla perdiri e assittarisi in terra. Da lì vitti che la carrozza era arrivata. Di sicuro ora la cammarera sarebbi vinuta a pigliari a Beba. Non voliva farisi vidiri.

Corrì 'n casa e chiuì la porta. Doppo un certo tempo, sintì 'na pirsona caminare vicino, annare nella staddra, firriare torno torno alla casa e appresso ancora 'na fìmmina che faciva voci:

«Non l'attrovo alla crapa! Non c'è!».

Dal laco, vinni 'n'autra voci fimminina di picciotta:

«Pazienza. Lascia perdere».

Lassò passari ancora tanticchia di tempo, po' raprì adascio la porta. La prima cosa che vitti fu a Beba che lo taliava. Gli parse che stava sorridennogli a scorno.

«Vabbeni, vincisti tu, non ci scinno al laco» dissi.

Beba gli s'avvicinò e gli liccò 'na mano.

«Paci fatta?».

«Bee».

Quella notti Beba tornò ad aviri il sò aduri di sempri. E Giurlà non accapì se doviva dispiacirisinni o no.

L'ultimo jorno di luglio, che era un mercolidì, stava caminanno dalla mannara di Turiddru verso quella di Giuvanni, che erano squasi le deci del matino, quanno 'u tempo, da che era bono e càvudo, tutto 'nzemmula, in un vidiri e svidiri, cangiò e si misi a malo. 'U celo, un momento prima chiaro, sireno, pulito, a tradimento si cummigliò di nuvole vascie, pisanti e nìvure, parse calato lo scuro della notti, e si isò un vento friddo e arraggiato, tanto forti che piegava i rami dell'àrboli. Tri anni avanti c'era stato un timporali uguali accussì, 'na duminica che lui era al laco con Damianu e l'autri crapari e aviva viduto le acque addivintari perigliosamente smosse, ma non come capitava col mari, ccà tutta la

147

superfici del laco era traversata da correnti che vinivano da direzioni contrarie e si scontravano con forza. Il pinsero gli corrì ad Anita supra alla varchiteddra con Beba e allura tacchiò la mula per farla mittiri a corriri alla dispirata, a malgrado che la vestia stissa era tanticchia appagnata per quello che stava capitanno. Quanno, un tri quarti d'ura doppo, arrivò alla curva dalla quali si vidiva il laco, ci morse il cori. La varchiteddra abballava, vacante, 'n mezzo alle acque furiose. Da un momento all'autro sarebbi affunnata. La tenda nica non c'era cchiù, il vento se l'era portata va a sapiri unni. Ora la timpesta 'ncaniava, chioviva fitto, era 'na pareti non fatta da gocci ma da catate d'acqua, i lampi abbagliavano, le troniate erano cannonate e il vento contrastava la curruta della mula, era come l'invisibbili mano di un giganti che l'ammuttava narrè. Ma comunqui la mula ce la fici. Scinnì davanti alla porta della staddra per corriri al laco ma ristò apparalizzato. Dintra c'erano Anita, Beba e 'na fimmina quarantina, tutte e tri assammarate e scantate.

L'unica a parlari fu Beba.

«Bee».

Pigliò 'na decisioni subbitania.

«Torno subito» fici.

Annò nel magazzino, agguantò a tri 'ncirati, s'apprecipitò alla casa, pigliò tutte le sò cammise avvolgennole nelle cirate pirchì non si vagnassero e tornò alla staddra. Detti tutto alla quarantina:

«Asciucatevi con 'ste cammise pulite. Po' vi cummigliate con le cirate e viniti 'n casa».

Addrumò il cufularo, svacantò mezza buttiglia di vino cotto dintra a 'na pignata, ci aggiungì 'na manata di chiovi di garofano e 'na scorcia d'arancio, e la misi a quadiare supra al foco.

«Che buon odore!» sclamò Anita trasenno doppo tanticchia e livannosi la cirata.

Appresso a lei vinivano la quarantina e Beba. Le dù fìmmine pigliaro le seggie e s'assittaro vicino al cufularo in modo d'asciucarisi i vistiti.

Giurlà virsò il vino cotto in dù bicchieri.

«Buono!» fici Anita doppo avirinni gustato il primo muccuni. «Mi riscalda».

Beba si era mittuta 'mpiccicata alle gamme di Giurlà e appena lui faciva un passo, lei macari.

«Ne posso avere ancora?» fici Anita pruienno il bicchieri.

«Attenta che voscenza s'imbriaca» fici la cammarera.

Anita fici 'na risateddra. La sò risata era pricisa 'ntifica a moneti d'argento che cadivano 'n terra. Doppo 'na mezzorata che il timporali stava già calanno, arrivò 'na carrozza mannata da don Sisino.

«Grazie di tutto» dissi Anita susennosi e avviannosi fora.

Taliannola di spalli, Giurlà s'addunò che zoppichiava tanticchia. Si era fatta mali ora o era accussì di natura?

Quella fu l'unica volta che la taliò per tutto 'u tempo che sinni erano stati 'n casa. Prima non l'aviva fatto sia pirchì si scantava di 'ncontrari i sò occhi e sia pirchì era certo che, se lo faciva, Beba l'avrebbi 'ncornato.

La sira del jorno appresso attrovò che la tenda nica era stata aggiustata e rimittuta addritta e che ogni cosa era al posto sò, macari la varchitedda che doviva essiri cchiù resistenti di quanto pariva. E la notti del jorno doppo, mentri che abbrazzava a Beba, sintì novamenti l'aduri di Anita.

La prima duminica d'austo, avanti che Anita arrivava, sinni scinnì al laco e si ghittò in acqua per piscari con le mano. Macari ora che aviva diciannovi anni, non aviva pirduta l'abbilità della picciottanza. L'aviva fatto autre vote, ai crapari piacivano i pisci di laco. Passata 'na mezzorata, si misi a natare per tornari a ripa con cinco grossi pisci 'nfilati nella riti che portava appisa al collo, e proprio mentri stava a mità strata s'addunò che la carrozza stava arrivanno. Si vitti perso. Non potiva nesciri fora dall'acqua, aviva un paro di mutanne liggere che quanno erano vagnate non sulo addivintavano trasparenti, ma gli si 'mpiccicavano tanto supra alle vrigogne che parivano nude. No, a costo di moriri affucato non sarebbi annato a ripa mentri era a vista d'Anita. Fici 'n modo che assumasse sulo la sò testa, spiranno che lei la scangiasse per un pezzo di ligno. Che gli aviva ditto don Sisino? Che nisciuno doviva vidirla quanno si faciva il bagno. Se Anita s'addunava di lui, lo contava a sò patre, quello lo diciva a don Sisino e di certo avrebbi pirduto il travaglio. Dalla carrozza prima scinnì la cammarera, po' Anita. Lo gnuri posò 'n terra, vicino alla tenda granni, 'na cesta che doviva conteniri le cose di mangiare, salutò con un 'nchino, si portò via la carrozza. La cammarera trasì dintra alla tenda, ma Anita ristò fora. Vitti che taliava verso la sò casa e 'nfatti Beba stava scinnenno di cursa. Quanno le arrivò a tiro, Anita si calò per accarizzarla, ma Beba continuò la sò cursa, si firmò che l'acqua le arrivava a mità ciampa.

«Bee» fici talianno verso Giurlà.

«Ma dove vuoi andare? Che c'è?» spiò Anita.

Si misi 'na mano a pampera supra all'occhi per ripararisilli dal soli, taliò e lo vitti. Gli fici ciao ciao con la mano e sinni trasì dintra alla tenda chiuiennola.

Natanno con tutta la forza che aviva, in un biz Giurlà toccò la ripa e si misi a corriri verso la casa.

Quello stisso doppopranzo stava accompagnanno alla porta i crapari quanno vitti che Anita acchianava verso la casa con Beba appresso.

E che viniva a fari? Che voliva da lui? Supra alla tavola c'erano ancora i piatti con le lische di pisci, i bicchieri lordi di vino, pezzi di pani, 'na vera lordia. Affannannosi, tutto sudatizzo, arriniscì a portari ogni cosa nell'autra càmmara, ma non fici a tempo a livari dal cufularo la padeddra con un pisci fritto dintra. Lei trasì sorridenno. E Giurlà, stavota, fu obbligato a taliarla 'n facci. Era accussì beddra che per un momento gli ammancò lo sciato.

«Scusatemi» dissi lei «ma la vostra capretta a un tratto s'è messa a zoppicare. Ve l'ho riportata perché non vorrei che continuando a camminare così si facesse più male. Come la chiamate?».

«A cu?» spiò Giurlà annigato nei sò occhi.

«A lei» fici Anita facenno 'nzinga con la testa verso Beba.

«Beba».

Vero era. Beba aviva qualichi cosa che la faciva zoppichiari nella ciampa mancina di davanti. Giurlà oramà lo sapiva che la zona cchiù sdilicata della crapa era la parti 'nterna dello zoccolo che, essenno tennira, spisso era suggetta a essiri 'nfilata dalle spine. E 'nfatti, acculannosi e tinenno la ciampa tra le sò mano, notò subito 'na grossa spina che ci era trasuta dintra. La pigliò per la punta che sporgiva tanticchia e la tirò fora col pollice e l'indice. Subito appresso, Beba si allontanò da lui con l'oricchi tise narrè, si vidi che era nirbùsa, certo per la prisenza di Anita nella sò casa.

Tre

La quali Anita, macari lei zoppichianno, si era 'ntanto avvicinata al cufularo e taliava il pisci fritto nella padeddra.

«Ma questo pesce chi ve l'ha dato?».

Giurlà, prima d'arrispunniri, agliuttì. Aviva la gola sicca.

«Nisciuno. Io lo piscai».

«Dove?».

«Al laco».

«Ci sono pesci?».

«Sissi».

«E come li pescate? Con la lenza?».

«Nonsi. Con le mano».

«Con le mani?!».

Era sbalorduta. Lo taliava con l'occhi virdi, che erano dù lachi, sbarracati.

Non ci voliva cridiri. Po' dissi:

«Mi piacerebbe vedervi pescare. Se domani vengo un po' prima…».

«Come voli vossia».

Era la patrona, non potiva discutiri, viniva a diri che non sarebbi annato in nisciuna mannara.

«E poi m'invitate a pranzo con Sidonia?».

Gli niscì dal cori, non seppi tinirisi.

«Filici ne saria!».

Sinni pintì subito.

«Ma non haio la tovaglia...».

«Non vi preoccupate, la portiamo noi. D'accordo?».

«D'accordo».

«Vieni, Beba» dissi.

E niscì fora salutannolo con la mano. La cornata di Beba fu tanto 'mprovisa quanto micidiali. Pigliato in pieno nei cabasisi, cadì 'n terra per il grannissimo duluri.

«Bee» fici lei niscenno appresso ad Anita.

Passò 'na nuttata 'nfami. Che per piscari si mittissi le mutanne liggere non era cosa manco da pinsari, ma il probbrema ristava lo stisso macari se si mittiva quelle pisanti di lana.

Potiva farisi vidiri 'n mutanne da Anita? 'na picciotta? 'na picciotta marchisa? 'na picciotta marchisa figlia del sò patrone? E po', marchisa o no, s'affruntava lo stisso a prisintarisi 'n mutanne. La meglio era di annare a piscari prima che lei arrivava. Ma Anita era stata chiara: lo voliva vidiri mentri che piscava. E come faciva a niscirisinni da quella mallitta situazioni? La soluzioni del probbrema gli vinni 'n testa verso le tri di notti. Si susì, pigliò un paro di cazùna di stati e l'accorzò col cuteddro fino a mezza gamba. Se li provò, gli stavano bastevolmenti larghi, non gli avrebbiro dato fastiddio nei movimenti. Ma subito appresso gli vinni un autro pinsero. Non aviva mai mangiato pisci con la forchetta, sempri con le mano. Macari quello che era ristato nella padeddra se l'era sbafato accussì. Se ci pinsava prima, avrebbi potuto fari 'na prova con la forchetta. La meglio era vidiri come s'arregolava Anita e po' copiari quello che faciva lei. Ma la meglio di tutti forsi era spirari che si scatinava 'n autro timporali e accussì non ci sarebbiro stati probbremi.

La carrozza arrivò alle novi. Appena la vitti, Beba accomenzò a corriri verso il laco. Giurlà 'nveci aspittò 'na mezzorata e po' scinnì macari lui. Davanti alla tenda granni, Anita sinni stava corcata supra a 'n asciucamano e Beba era addritta allato a lei. La picciotta aviva 'na vistaglia liggera, colori celo, sutta si travidiva un costume di bagno a strisci blu e bianchi che le lassava scoperte sulo le vrazza e mità delle gamme. 'N testa aviva 'na cuffia cilestri mirlittata e ai pedi un paro di scarpe stramme, fatte di tila blu e senza tacco.

«Vogliamo andare?» spiò susennosi appena che vitti compariri a Giurlà. Macari coi cazùna Giurlà si sintiva 'mpacciato davanti a lei.

«Sissi».

«Facciamo così. Voi cominciate a nuotare e io vi seguo con la barca».

«Vabbeni».

Trasì in acqua, detti 'na poco di vrazzate e po' si voltò a taliare a che punto era Anita. La quali era già acchianata nella varchiteddra, ma aviva un probbrema. Beba voliva 'mbarcarisi macari lei mentri la 'ntinzioni d'A-

nita era di lassarla a terra. Accussì Anita l'allontanava
col remo e quella subito appresso tornava a farisi avanti. Doppo cinco minuti di avanti e narrè, Anita si
stancò e la fici acchianare. Arrivato a un certo punto,
Giurlà si firmò. Sapiva che in quel loco i pisci erano
chiossà che nelle autre parti. Aspittò che la varchiteddra gli arrivassi a lato e si calò suttacqua. Doviva essiri emozionato, pirchì di subito accapì che avrebbi potuto resistiri meno del solito. 'Nfatti, agguantato il primo pisci, dovitti risaliri di cursa. Un attimo prima
d'assumare, vitti a pochi centilimetri dalla sò facci
quella d'Anita che si sporgiva dalla varca per taliarlo
e gli sorridiva.

«Vi siete stancato?».

«Nonsi».

Beba 'nveci, che era voltata con la facci dalla parti
contraria, ristò accussì, non lo dignò manco di 'na taliata.

La càmmara l'aviva puliziata di prima matina, ma tanto per essiri sicuro, appena tornato dalla pisca, la puliziò novamenti. Doppo annò al pozzo, squartò i sei pisci, gli tirò fora le 'ntragnisi, col cuteddro gli livò cchiù
scaglie che potì e li lavò. Po' addrumò il foco e 'nfa-
rinò i pisci. Niscì fora e fici 'na voci:

«È pronto».

Accomenzò a friiri i pisci sulo quanno sintì arrivari
le dù fìmmine. Sidonia conzò la tavola con la tovaglia
tirata fora dalla cesta che si era portata appresso. Per
primo sirvì ad Anita, po' a Sidonia. Quanno macari lui

s'assittò col sò piatto davanti, Beba gli si misi allato. Ma 'nveci di stari addritta, s'accucciò con la testa sutta alla tavola. Anita, che si era cangiata di vistito, accomenzò a mangiare. Giurlà la taliò e accapì 'mmidiato come doviva usari la forchetta.

«Squisito» dissi la picciotta. «Come quello che mangiavo in Svizzera. E poi è fritto benissimo, complimenti al cuoco».

«Grazii» fici lui addivintanno russo 'n facci.

E un attimo appresso addivintò ancora cchiù russo. Pirchì Beba l'aviva addintato a mezza gamma, come se era un cani, facennogli provari un duluri forti. E meno mali che si era cangiato macari lui mittennosi i cazùna 'nteri, masannò gli sarebbi nisciuto il sangue per quel gran muzzicuni.

L'avvertimento di Beba era stato chiaro come 'u soli: meno parli con Anita e meglio è per tia.

«Sapete come si chiamano questi pesci?».

Matre santa, ma pirchì gli faciva dimanne?

«Non lo saccio».

Stavota il muzzicuni gli fici fari un mezzo sàvuto dalla seggia.

«Tu lo sai, Sidonia?».

«Nonsi».

«Buona quest'insalata. Avete un orto?».

Ma non potiva mangiari 'n silenzio?

«Sissi».

Stavota il duluri del terzo muzzicuni gli arrivò al ciriveddro. Si susì con la scusa di livari i piatti lordi di pisci ma Anita lo firmò.

«Ci pensa Sidonia».

Giurlà salutò la sò gamma. Se quella gli arrivolgiva autre dù dimanne, per jorni e jorni avrebbi di sicuro zoppichiato. Che bella coppia che avrebbiro fatto, lui e Anita, tutti e dù zoppi! Stimò che era cchiù prudenti ristarisinni addritta fino a quanno quelle non sinni annavano. Po' Sidonia si susì e accomenzò a puliziari i piatti. Allura Anita dissi:

«Io torno giù. Grazie del pranzo. È stato bellissimo. Vieni, Beba».

Sinni ghì dintra al magazzino, pirchì don Sisino, il sabato passato, gli aviva ditto che voliva sapiri quanta robba c'era ancora dintra e per quanto sarebbi abbastata. Alla scurata, sintì la carrozza che arrivava e sinni partiva. Ma Beba non tornò. E non si fici vidiri manco quanno vinni l'ura di mangiare. Stavota non s'appriuccupò, sapiva che lo stava facenno apposta, per fargli scuttari il fatto che lui aviva passato troppo tempo con Anita. Si annò a corcari lassanno la porta aperta. E ogni tanto, nel sonno, tastiava con la mano per sintiri se era arrivata. Nenti.

Sulo quanno si susì alle sett'arbe per annare a lavarisi nel pozzo, la vitti aggiuccata allato alla porta. Non aviva voluto passari la notti con lui.

«Non fu corpa mia» le dissi. «Quella mi parlava e io, secunno tia, non dovivo arrispunnirle?».

«Bee» fici Beba sdignusa.

Si susì e s'avviò verso l'orto a mangiarisi l'erbuzza frisca.

Il vintiquattro d'austo, che era 'na duminica, la jornata s'appresentò tradimintosa a comenzare dalla prima luci. Il celo si cummigliava di nuvoli, po' arrivava 'u vento, li livava di mezzo come se era 'na scupa 'nchiffarata, e ricompariva 'u soli. Manco un quarto d'ura appresso 'u celo si cummigliava novamenti. Però ogni vota che le nuvoli tornavano, erano sempri cchiù nìvure e pisanti e pariva che 'u vento doviva mittiricci cchiù forza per arrinesciri a cancillari il nìvuro e fari rispuntari il cilestri. Verso le novi del matino Giurlà si fici pirsuaso che la carrozza d'Anita non sarebbi arrivata, macari a Castrogiovanni doviva essiricci lo stisso tempo, quella non era jornata di farisi un bagno al laco. E non era jornata manco di annare a pigliare i pisci per i crapari, avrebbi cucinato pasta col suco, pirchì capace che da un momento all'autro s'arripitiva la timpesta di luglio. 'Nveci, doppo meno di un'orata, la carrozza arrivò e Beba sinni scinnì festevoli 'ncontro ad Anita. Aspittanno che arrivavano i crapari, Giurlà a ogni quarto d'ura nisciva fora a taliare quello che faciva Anita. Era squieto. Ma dato che non la vidiva a ripa, si carmava tanticchia, pinsanno che forsi sinni stava dintra alla tenda granni a jocare con Beba. Meglio accussì. Sino a quanno la varchiteddra ristava tirata a sicco, non c'era periglio. Po' arrivaro i crapari e lui non ebbi cchiù modo di nesciri fora e taliare. Ma fu la prima cosa che fici appena quelli sinni ghiero. In quel momento non c'erano nuvoli e il soli era càvudo. Ma la varchiteddra era sempri a ripa. Anita, era chiaro, non si fidava. Tornò dintra e si misi a scriviri supra al registro i sordi e le cose che aviva dato a ogni craparo. Siccome che 'u cunto non gli tornava, dovitti principiari daccapo. E tutto 'nzemmula un gran botto lo fici satare dalla seggia, era la porta che si era chiuiuta sbattenno per un gran corpo di vento. Ora dintra alla càmmara non ci si vidiva cchiù. Si susì, annò a rapriri la porta e ci morse il cori. A malgrado che 'u vento ammuttava le nuvoli con violenza, quelle ristavano al posto loro, cariche e trubbole com'erano. E 'n mezzo al laco c'era la varchiteddra che abballava 'mbriaca con supra Anita e Beba. A ripa, Sidonia faciva signali e voci da dispirata. La picciotta doviva essirisi 'ngannata dal soli che era tornato e aviva addeciso di pigliari la varca. E ora s'attrovava in un periglio grosso assà. Accomenzò a corriri verso il laco livannosi mano a mano i vistiti e ghittannoli 'n terra unni viniva viniva, sinni stracatafuttiva se Anita lo vidiva 'n mutanne.

«Sarbatila! Sarbatila!» l'implorò a mano junte Sidonia mentri che lui le passava allato.

«Arrivo! Arrivo!» gridò con tutto il sciato verso la varca prima di ghittarisi in acqua.

Ma né Beba né Anita lo sintero, forsi pirchì erano troppo scantate o forsi pirchì 'u vento si portava via la voci.

Alle prime vrazzate, si capacitò che non sarebbi stato facili arrivari alla varca. La correnti contraria era troppo forti, praticamenti lo tiniva fermo e a ogni vrazzata avanzava sì e no di 'na vintina di centilimetri. Stringì i denti, chiuì l'occhi per concentrarisi tutto a sintiri il sò corpo, addimannò aiuto a tutta la sò giovanizza, a tutta la sò musculatura e raddoppiò la forza. Quanno carcolò che doviva attrovarisi a 'na decina di metri dalla varca si firmò per arriposarisi tanticchia e taliare. La situazioni gli parse addivintata pejo assà, 'u vento faciva un urlìo di mala vestia, le correnti si scontravano come i becchi in calori, fici a tempo a vidiri a Beba e ad Anita abbrazzate stritte stritte e addivintate mute per lo scanto. Chiuì l'occhi e ripigliò a natare. Ora faciva fatica a sullivari le vrazza, erano come se avivano supra un piso di cento chili. Per quanto tempo ancora sarebbi arrinisciuto ad aviri la forza d'arriminarle? Tutto 'nzemmula, la sò mano toccò il ligno della varca. Ce l'aviva fatta!

Raprì l'occhi e si sintì aggilari cchiù di quanto era aggilato.

La varca stava ancora a galla sì, ma era suttasupra! Si era capolgiuta! Perciò Anita e Beba erano cadute dintra all'acqua e ora si stavano anniganno! Senza manco pigliari aria, si calumò. Scinnì dritto che pariva un fuso, l'occhi sbarracati a taliari a dritta e a manca, ma si vidiva picca, l'acque erano troppo trubbole. Spirò che Anita e Beba ancora non erano arrivate all'artizza di quella speci di foresta suttamarina, se ci trasivano dintra non le avrebbi arritrovate mai.

E finalmenti le vitti.

Sinni stavano calanno verso il funno con tanta lintizza che in prima gli parsero ferme, come sospise a mezzaria. 'U silenzio, drassutta, era assoluto. Anita, i capilli aperti a raggera e tisi verso l'àvuto, le mano longo i scianchi, scinniva come se era addritta, senza fa-

161

ri un movimento. Beba macari lei pariva che stava addritta supra alla terra, ma si era vinuta a trovari con la testa a paro di quella della picciotta.

La facci d'Anita e quella di Beba perciò erano vicinissime l'una davanti all'autra, si taliavano occhi nell'occhi come se stavano parlanno, in cunfidenzia, di un sigreto che sulo loro dù sapivano.

Per qualichi secunno ristò fermo a taliare la scena, affatato.

Po' scattò, in dù vrazzate gli arrivò allato, detti 'na spinta sutta alla panza di Beba spiranno che sirvisse a farla riacchianare mentri con l'autra mano affirrò ad Anita per i capilli e se la tirò appresso verso la superfici.

Appena ebbi fora dall'acqua la testa, con la mano libbira rimisi addritta la varca e ci ghittò dintra ad Anita, seguennola. Respirava, era viva. E sapiri che era arrinisciuto a sarbarla gli detti 'na forza nova. Si tuffò novamenti, si ricalumò sparato verso il funno, ma quanno arrivò ad agguantari a Beba al limiti della foresta accapì subito che non c'era cchiù nenti di fari. Sinni stava arrovisciata, le ciampe in àvuto, l'occhi 'nserrati.

Beba era morta.

Si l'abbrazzò e tinennosilla stritta forti forti accomenzò a risaliri.

Ma 'na vota mittuta macari a Beba dintra alla varca, non c'era cchiù posto per lui. Ristò in acqua, pirchì l'unica era ammuttarla da puppa con le mano, natanno sulo con i pedi. Accomenzò a farlo, ma doppo tanticchia la prua, 'nveci d'avvicinarisi in dirizioni delle tende, pigliata da 'na correnti contraria puntò verso un'altra parti della ripa, cchiù luntana assà. Perciò, doppo ogni quattro o cinco vrazzate, doviva corriggiri la rotta usanno tutta la forza che aviva. Finalmenti arrivò a ripa, cchiù morto ca vivo, gli ammancava il sciato e ogni tanto le ghinocchia gli si piegavano, ma arriniscì a pigliari tra le vrazza ad Anita che era sempri sbinuta e a portarla dintra alla tenda granni, assicutato da Sidonia che non accapiva cchiù nenti e chiangenno spiava 'n continuazioni:

«Viva è? Viva è?».

«Sì» le arrispunnì quanno posò ad Anita supra a un asciucamano.

Di botto a Sidonia mancarono le forzi e con un lamento cadì 'n terra sbinuta. E ora come faciva senza il sò aiuto? Non ci perse tempo, s'acculò allato alla fìmmina e le mollò dù potenti pagnittuna.

«Eh?» fici quella raprenno l'occhi.

«Mi doviti aiutari. 'Nn'aviti acìto?».

«Acìto?» ripitì Sidonia 'mparpaglia. «Pirchì?».

«Per faricci tornari i sensi».

«Ma ho i sali!» dissi la cammarera susennosi.

Chi erano 'sti sali? Boh, l'essenziali era che sirvivano. Sidonia annò a circari dintra alla cesta, tirò fora 'na boccettina, la stappò, s'agginocchiò allato ad Anita, gliela passò e ripassò sutta al naso.

E Anita, doppo tanticchia, fici un sospiro longo, raprì l'occhi e accomenzò a vommitare. Po' dissi:

«Ho freddo».

«Asciucatela e cangiatila di vistito che io torno subito» fici Giurlà.

Niscì, si misi a corriri verso casa, la timpesta non accinnava a calare, addrumò il cufularo in modo che faciva 'na bella vampa, pigliò 'na tila cirata e tornò alla tenda.

Anita non s'arriggiva addritta. Allura la pigliò 'n potiri.

«Cummigliatila con la cirata. Annamo a la mè casa, ccà c'è troppo vento, 'sta tenda non è sicura».

Niscero. E 'nfatti non avivano fatto manco quattro passi che la tenda cidì, un palo si spizzò, si raprì un varco, 'u vento ci si 'nfilò dintra, la sollivò da un lato, la sradicò, la fici volari al laco.

Appena foro 'n casa, fici assittari ad Anita supra a 'na seggia allato al foco, inchì un bicchieri di vino, glielo pruì.

«Non mi va».

«Si lo vivissi!».

Gli era scappato d'usari un tono di cumanno e Anita bidì senza sciatare. A 'sto punto fu lui che non ce la fici cchiù. Con le gamme traballianti come a quelle di un 'mbriaco, si annò a stinnicchiari supra al pagliuni.

La carrozza arrivò un quarto d'ura appresso.

Quattro

Appena che Anita e Sidonia sinni foro ghiute, scinnì al laco futtennosinni se l'acqua di celo l'assammarava. Macari la tenda nica, che sirviva da cammarino di commodo, era stata sradicata. La ripa era china di robbe sparpagliate che stavano nella tenda, cuscini, asciucamani, ceste, buttiglie... Parivano i resti di un naufragio. Annò alla varca, affirrò a Beba e se la portò a la casa tinennola abbrazzata. Po' la misi supra al pagliuni, niscì, raprì il magazzino, pigliò uno zappuni, tornò a la casa e si misi a scavari 'na fossa proprio allato al pagliuni, nel posto priciso indove Beba si mittiva ogni notti. Faticò assà, pirchì la terra battuta era addivintata troppo compatta. Alla fini, 'n funno alla fossa ci misi 'na cirata, pigliò a Beba, la vasò a longo supra alla vucca, la 'nfilò dintra, la cummigliò ripieganno la cirata, accomenzò a inchiri di terra la fossa. Quanno finì, la pistiò per pariggiarla, doppo agguantò il pagliuni e glielo posò di supra. La fossa non si vidiva, accussì avrebbiro potuto continuari a dormiri vicini.

La prima lagrima gli niscì a mezzo della notti. Avanti d'allura, nenti. Per tutto quel tempo si era sintuto asciucato dintra, arso, un diserto.

165

Po' doviva essirisi appinnicato cchiù per stanchizza che per sonno, e tutto 'nzemmula aviva fatto un gesto di sempri, quello d'allungari 'na mano e carizzari a Beba. Quel gesto a vacante era stato come 'na cutiddrata 'n mezzo al petto. E appresso a quella prima lagrima, vinni uno sdilluvio.

Fu la notti doppo, che sinni stava con l'occhi sbarracati nello scuro, che 'na dimanna gli vinni 'n testa a tradimento:

«Pirchì sciglisti Anita?».

In prima, non accapì lui stisso qual era 'u senso della dimanna che gli era vinuta di farisi. Se l'arripitì non col pinsero, ma con la voci:

«Pirchì sciglisti Anita?».

Il sono delle sò palori gli fici chiaro 'u senso. Quanno, dintra all'acqua, aviva viduto ad Anita e a Beba che sinni calavano verso il funno del laco, aviva scigliuto, senza manco pinsaricci, di salvari ad Anita.

Sì, certo, aviva macari dato 'na spinta a Beba, ma sapiva benissimo dintra di lui che non sarebbi abbastata per farla tornari da sula a galla.

No, quella spinta era stata sulo uno scarrico di cuscenza, mentri l'affirrari per i capilli ad Anita e tirarisilla verso l'àvuto quella sì che era stata 'na pricisa volontà di salvarla.

Aviva scigliuto, non c'era dubbio, non c'erano santi. In quel momento l'essiri umano che lui era aviva naturalmenti addeciso di sarbari un pari sò, 'n autro essiri umano. E questo viniva a significari 'na cosa sula.

Che in quell'attimo di virità davanti alla vita e alla morti, Beba era ai sò occhi tornata a essiri non la criatura amata, la cumpagna amurusa dei jorni e delle notti, la squasi mogliere dell'urtimi tempi, ma sulamenti 'na crapa, un armàlo. 'Na crapa alla quali però lui aviva nigato la possibbilità d'essiri crapa. L'aviva stracangiata a forza. Non facennola accoppiari col becco, come voliva la liggi di natura («e pirchì tinni stai a liggiri Lucrezio?» si spiò), le aviva nigato la possibbilità di fari figli, di fari latti. L'aviva snaturata, straniata, resa sterili in tutto. E lei non si era mai arribbillata a questa tirribbili violenza, per l'amuri, sì, l'amuri che aviva per lui. Non c'era autra palora. E stavota chiangì dispirato per il gran rimorso che l'assugliò.

Il sabato che vinni don Sisino gli spiò:
«Ti senti bono?».
«Sissi».
«Allura pirchì hai 'sta facci?».
Lui non possidiva uno specchio e da quel jorno mallitto non era cchiù scinnuto al laco.
«Com'è la mè facci?».
«Sì giarno, hai i calamari sutta all'occhi, la pelli tirata...».
«Forsi non mi è ancora passato lo scanto che mi pigliai».
Era 'na farfantaria, non si trattava di malatia, il fatto era che da sei notti non arriniscива a chiuri occhio pinsanno a Beba. Ma don Sisino parse pirsuaso. E Giurlà s'azzardò a fari 'na dimanna:

«Come sta la signurina?».

«Beni, pari».

«Sinni tornò in Sguizzira?».

«Doviva, ma dicino che cangiò idea. Senti, lunnidì 'u marchisi t'aspetta alle deci di mattina».

«E chi voli?».

«Non lo saccio. Forsi ti voli ringraziari».

«E che bisogno c'è di ringrazio? Ad ogni modo, se propio lo voli fari, abbasta che me lo manna a diri con vossia».

«Il marchisi lo voli fari di pirsona».

«Veni macari vossia?».

«No, a tia sulo voli».

Come l'autra vota, il cammareri vistuto d'oro l'accompagnò allo studdio del marchisi. Il quali sinni stava assittato allo scagno a leggiri un libro, ma si susì subito appena Giurlà trasì e gli annò 'ncontro pruiennogli la mano.

«Grazie. Sidonia ci ha raccontato tutto».

«Prego» fici Giurlà che non sapiva che diri.

«Siediti» dissi il marchisi tornanno darrè allo scagno.

Lui s'assittò supra 'na pultruna. Il marchisi ripigliò a leggiri.

E ora che facemo?, si spiò Giurlà doppo tanticchia.

Voi vidiri che il ringrazio era finuto? Ma allura pirchì gli aviva ditto d'assittarisi? Tutto 'nzemmula pinsò che forsi il marchisi era affruntuso come a lui e di scarsa palora come a lui. E capace che non sapiva come diri quello che gli voliva diri. Ma potivano continuari accussì?

«Se voscenza mi permetti, io…» fici accomenzanno a susirisi.

Macari il marchisi si susì. Aviva 'n mano 'na busta granni, di colori giallo.

«Questo è un segno tangibile della mia riconoscenza» fici pruiennogli la busta, ma senza taliarlo nell'occhi.

Sì, doviva essiri di natura affruntusa, a malgrado ch'era marchisi.

Sicuramenti dintra alla busta c'erano sordi. E macari assà. In un attimo addecidì di non pigliarisilla. Con quei sordi non gli viniva pagata la sarbizza d'Anita, pinsò, ma la morti di Beba. E quella non si potiva pagari manco a piso d'oro.

«No, mi pirdonasse, cillenza, non s'offinnissi, non posso accittari. Baciolemano».

Gli voltò le spalli, niscì fora dalla càmmara. Il marchisi ristò 'ngiarmato a taliarlo con la busta 'n mano.

'Na notti che caminava campagna campagna non arriniscenno a pigliari sonno gli tornò a menti che la prima vota che l'aviva 'ncontrato, 'u marchisi gli aviva spiato se s'arricordava qualichi cosa di Lucrezio e lui gli aviva arripituto quei dù righi indove ci stava scritto che la morti non è suffirenzia pirchì chi non esisti non la pò provari. Da 'na parti era vero, però Lucrezio non aviva pigliato in considerazioni la suffirenzia di chi ristava vivo avenno perso chi gli stava a cori. E che certe vote addivintava accussì forti 'sta suffirenzia, che uno avrebbi preferuto attrovarsi al posto di chi era morto. E la cosa stramma era che i jorni passavano e il duluri per la morti di Beba 'nveci di diminuiri, s'accrisciva.

Nella casa oramà ci stava il meno possibbili pirchì quella solitudini che prima mai aviva avvirtuto ora non sulo accapiva cos'era, ma la sintiva come 'na speci di malatia che gli stringiva il cori, gli faciva passari la gana di mangiari, gli inchiva all'improviso l'occhi di lagrime. Provò a farisilla passari ristanno cchiù a longo negli stazzi in modo di tornari alla casa cchiù tardo che potiva, sulo 'u tempo bastevoli per lavarisi e corcarisi. Anzi, 'na sira non tornò, ristò a dormiri nella capanna di Giuvanni, ma passò tutta la nuttata vigliante a pinsari a Beba sula nella casa fridda.

Spisso, prima d'addrummiscirisi, si mittiva a panza sutta e accomenzava a parlari a Beba che stava a mezzo metro da lui e le contava quello che aviva fatto nella jornata.
Nisciuno dei crapari, quanno vinivano a riunioni la duminica, gli spiò mai di Beba. Eppuro l'avivano viduta come caminava casa casa e quanto gli era affezzionata! Ma 'n funno, raggiunò, i crapari ne vidivano ogni jorno crape che morivano e una cchiù una meno a loro non faciva diffirenzia.
Non sapivano che quello che era passato tra Beba e lui era stata 'na cosa accussì spiciali che non potiva essiri contata a nisciuno.

«'U marchisi, mischino, 'nni 'sti jorni è priooccupato assà» gli dissi un sabato don Sisino.

«E pirchì?».

«Per sò figlia. Da quanno che tu la sarbasti dal laco, non mangia cchiù, non dormi e non voli parlari con nisciuno».

«Ma sunno passati tri misi! Come ha fatto a ristari viva fino a ora?».

«C'è un dutturi sguizzero fatto viniri apposta che la cura. Dormi nel palazzo. Lo sai che fa per mantinirla viva? Piglia 'u mangiari e glielo metti liquito dintra a 'na speci di clisteri che però finisci 'nfilato in una vina del vrazzo».

«Ma l'hanno accapito che malatia è?».

«Pari di no. Lunnidì però arriva un autro medico dalla Girmania. 'U marchisi si sta cunsumanno per pagari a 'sti duttura».

Giurlà s'arricordò di quella bella jornata passata 'nzemmula ad Anita quanno era vinuta a mangiare 'u pisci piscato da lui. Era accussì sana e china di vita! L'unica cosa era che...

«Vossia lo sapi pirchì zoppichia?» gli vinni di spiare a don Sisino.

«È accussì di natura. Io l'accanoscio da quanno è nasciuta e l'haio sempri viduta zoppichiari».

Quella notti glielo contò a Beba che Anita era malata. E nella stissa notti fici un sogno.

Senza sapiri come c'era arrivato, stava suttacqua nel laco a piscari pisci. Tutto 'nzemmula l'acqua accomenzava a divintari meno liquita, cchiù densa, tanticchia gummusa, macari se ristava sempri trasparenti. Era

'n'acqua che tiniva il sò corpo fermo e sospiso a mezzaria senza bisogno di fari il minimo movimento. I pisci erano scomparsi, non c'era cchiù manco la foresta
suttamarina. Ebbi la 'mpressioni d'essiri dintra a quella mezza sfera di vitro che da picciotteddro aviva viduto supra allo scagno di don Pitrino. Era china d'acqua, dintra ci stavano 'na poco di muntagneddre e se
mittivi la mezza sfera suttasupra e subito appresso novamenti dritta, supra alle muntagneddre accomenzava
a cadiri la nivi. Aviva la sinsazioni che il laco era addivintato nico nico. Si voltò a taliare torno torno e notò
'nfatti che l'acqua in qualisisiasi parti allo stisso mide-
simo punto addivintava rutunna, proprio come se s'attrovava dintra a una granni sfera. Tutto 'nzemmula vitti ad Anita e a Beba. Stavano nella stissa 'ntifica posizioni di quanno erano cadute nel laco. Le dù facci vi-
cine squasi a toccarisi, l'occhi aperti a taliarisi. Provò
a dari 'na vrazzata per annare da loro, ma non potì cataminarisi, l'acqua oramà troppo densa glielo 'mpidiva. Ma sintì distintamenti le voci di Beba e Anita. Pirchì si stavano parlanno, macari se non pariva dato che
nisciuna delle dù rapriva e chiuiva la vucca.

«D'accordo?» spiava Beba.

«Sì, d'accordo» arrispunniva Anita.

Allura fici 'na gran voci per chiamarle. Voliva sapiri quello che si stavano dicenno. Ma la sò stissa voci
l'arrisbigliò.

Doppo 'na quinnicina di jorni si fici pirsuaso che forsi sarebbi stato meglio se per qualichi misata sinni tor-

nava a Vigàta. Era da quanno aviva passato la visita di leva che non ci annava. E gli era vinuto tanticchia di spinno di rividiri non tanto a sò patre o a sò matre ma chiuttosto a sò soro, com'era crisciuta, come s'era fatta. Quanno Beba era viva, non ci aviva mai pinsato. Dissi la sò 'ntinzioni a don Sisino.

«Quanto voi stari fora?».

«'Na misata».

«Se è per 'na misata sula, non c'è bisogno di chiamari a nisciuno di fora al posto tò. Ci abbado io».

«Grazii».

«Però prima lo devo diri al marchisi. Sabato che veni ti dugno la risposta».

Lo dissi macari a Beba.

«Non ce la fazzo cchiù, mi devi cridiri. M'ammanchi troppo. La sai 'na cosa? Nella mannara indove t'ho accanosciuta, tutto è uguali, la capanna è come l'avemo lassata, 'u pagliuni, 'u lumi, c'è ancora la cascia con le cose di Ramunnu. E io, ogni vota che ci devo annare, haio bisogno di tutta la mè forza. Spisso, quanno m'attrovo là, sento che mi stanno vinenno le lagrime e mi necessita 'na scusa per stari luntano dall'autro craparo. Non pozzo annari avanti accussì. La tò mancanza mi maciria, mi fa la solitudini cchiù solitaria. Minni vaio sulo per un misi. E tu puoi aspittarmi ccà, nisciuno ti scoprirà, stai tranquilla. Mi prometti che non t'arrabbi?».

«Ci l'arrifirì al marchisi che minni vorria tornari a Vigàta per un misi?».

«Sì».

«Che arrispunnì?».

«Né sì né no. Mi dissi di diriti che ti voli parlari».

«A mia? E chi voli?».

«Non lo saccio. T'aspetta lunnidì matino alle deci».

«Come sta la signurina?».

«Pejo di prima. Dicino che non ci sunno cchiù spranze».

Glielo doviva diri al marchisi che gli dispiaciva assà assà per Anita? Opuro il signor marchisi non avrebbi aggradito che un craparo come a lui facissi il nome di sò figlia? Aviva 'sti dimanne 'n testa mentri che annava appresso al cammareri e non sapiva che strata pigliari.

Trasì nello studdio e il cammareri gli dissi:

«Aspetta qua».

Non sapenno chi fari, si misi a taliare i quatri con le farfalle. Po' s'attrovò davanti alla fotografia d'Anita di quanno aviva sedici anni. Non c'era dubbio che criscenno si era fatta cchiù beddra assà. In quel momento arrivò il marchisi e Giurlà strammò. Era cangiato assà dall'autra vota. I capilli bianchi erano addivintati chiossà, tiniva le spalli curve, aviva la varba longa e quanno caminava strascinava i pedi.

«Baciolemano» lo salutò Giurlà.

Il marchisi non arrispunnì, tiniva la testa calata a taliari il pavimento. Po' isò l'occhi. E Giurlà in quell'occhi liggì disperazioni, duluri, raggia.

«Seguimi».

Gli annò appresso, strammato. Che voliva da lui? Indove lo portava?

Corridoi che non finivano mai, scalunate da acchianari e da scinniri. A parti loro dù, pariva che in quel palazzo non c'era anima criata e il silenzio era squasi uguali a quello che c'era 'n funno al laco. Il marchisi si firmò davanti a 'na porta chiusa. Gli parlò senza mai taliarlo.

«Anche se non lo vuoi lo devi fare».

Giurlà non fici a tempo a dimannare spiegazioni che quello raprì la porta, l'ammuttò dintra e gliela chiuì alle spalli. Accapì subito ch'era la càmmara d'Anita pirchì si sintiva l'aduri di lei cchiù forti del feto dei medicinala che erano 'na grannissima quantità e tutti sparpagliati supra al tangèr, al commodino, a dù tavolinetti.

C'era un letto con la muschittera sullivata, della picciotta si vidiva la testa sprufunnata nel cuscino e il vrazzo mancino dintra al quali ci stava 'nfilato 'na speci di tubo che annava a finiri in un trispolo allato al letto. Il trispolo riggiva 'na speci di clisteri, come aviva ditto don Sisino, chino di un liquito russastro che calava guccia a guccia.

Ristò tanticchia fermo a raggiunari. Che aviva 'ntiso diri 'u marchisi? Che doviva fari macari contro la sò stissa volontà? Era un favuri che gli stava addimannanno? Arriguardava a sò figlia? E che potiva fari lui per Anita, se non ci erano arrinisciuti i medici sguizzeri e tidischi? Da indove s'attrovava, non la vidiva bona. Allura fici tri passi avanti e si firmò.

La carni della facci d'Anita era scomparuta, la sò pelli era addivintata giallusa e pariva 'mpiccicata direttamenti supra all'ossa.

La 'mpressioni di pena che provò fu accussì forti che le gamme di colpo gli s'ammoddrarono, dovitti assittarisi supra alla seggia che c'era allato al letto, dalla parti opposta a quella del trispolo.

La sintiva respirari. Faticava, faciva brevi tirate accompagnate da un rumori raschioso. Mischineddra, come si era arridutta! In quel momento sintì la porta rapririsi a leggio e si voltò a taliare. Era Sidonia. Macari lei pariva addivintata cchiù vecchia. Non gli dissi nenti, non lo taliò, voliva mittirisi tra la seggia e il letto e Giurlà, per facilitarla, si susì addritta.

Sidonia tirò fora da sutta alla coperta il vrazzo libbiro di Anita, lo riposò scoperto con dilicatizza. Matre santa! Era addivintata veramenti uno scheletro! Po' Sidonia fici 'nzinga a Giurlà d'assittarisi, pigliò la mano del picciotto, gliela isò, gliela fici posari adascio adascio supra a quella d'Anita che stava col parmo in su e sinni niscì.

Giurlà ristò 'ngiarmato accussì, tanticchia calato in avanti, scantannosi che il piso della sò mano potiva rompiri l'ossiceddri di quella d'Anita, che dovivano essiri fraggili come a quelle di un passero.

176

Cinque

Doppo un quarto d'ura che sinni stava accussì, il vrazzo gli accomenzò a formicoliari. Usanno l'autra mano avvicinò chiossà la seggia, almeno per stari cchiù commodo.

Passata 'na mezzorata, non riggì cchiù, aviva bisogno di cataminarisi.

Accomenzò a ritirari la mano facennola scurriri chiano chiano supra a quella di lei e c'era squasi arrinisciuto quanno capitò 'na cosa che non s'aspittava. 'U pollici della mano d'Anita affirrò 'u mignolo della sò mano. L'affirrò senza nisciuna forza, era come se 'na musca si era posata supra a quel dito, cchiù che un gesto era 'na 'ntinzioni, un desiderio, ma abbastò pirchì Giurlà rimittissi subito la mano com'era prima. 'U pollici d'Anita gli ristò posato supra.

Doppo 'n'autra orata che a momenti gli viniva di fari voci tanto si sintiva duliri l'ossa, trasì Sidonia. Vitti le dù mano che si tinivano e si misi a chiangiri 'n silenzio. Po' s'asciucò l'occhi e dissi a voci vascia a Giurlà:

«Agginocchiati».

Il picciotto era accussì 'ntordonuto di quello che capitava che bidì senza sciatare.

177

«Chiamala chiano chiano all'oricchio».

Giurlà le avvicinò la vucca:

«Signurina!».

«Chiamala col sò nomi!».

«Anita!».

«Diccillo che sì tu».

«Io sugno, Giurlà».

«Continua sempri accussì» fici Sidonia niscennosinni 'n'autra vota.

«Anita, Anita, Giurlà sugno, Anita, Giurlà».

Pirdì 'u cunto del tempo. Erano ure che arripitiva la stissa frasi. Gli facivano mali le ghinocchia, aviva la vucca sicca. Dovivano essiri le cinco del doppopranzo quanno Sidonia tornò e gli dissi:

«Veni con mia».

Dovitti appuiarsi al letto per susirisi. Nel corridoio, che aspittavano che lui nisciva dalla càmmara, c'erano 'u marchisi e un signori àvuto e grosso con una gran varba. Parlava strammo col marchisi, doviva essiri 'u dutturi tidisco, 'nfatti aviva 'n mano 'na boccia di quel liquito russastro.

Mentri annava appresso a Sidonia, l'occhio gli cadì supra a uno specchio.

Matre santa, com'era addivintato stracangiato macari lui! Giarno, sicco, la varba longa, 'u nìvuro sutta all'occhi, 'na taliata di mezzo pazzo. Da quella mallitta duminica, 'na speci di dannazioni era caduta supra al palazzo e supra alla casuzza del laco.

«Camina!» gli fici Sidonia.

Lo portò nella cucina, cinco vote cchiù granni della sò casa al laco.

«Assettati e mangia».

Un piattoni di pasta col suco di majali, e un rotolo di sasizza arrostuta.

Non aviva pititto. Si mangiò quattro forchettati di pasta e un caddrozzo di sasizza, si vippi un bicchieri di vino tanto per compiaciri a Sidonia.

«Mi vorria lavari».

Un cammarino di commodo accussì granni e bello con l'acqua correnti non l'aviva mai viduto. E c'era macari 'na vasca di zinco che si inchiva d'acqua e uno ci si potiva fari 'u bagno dintra.

«Ora minni pozzo ghiri?» spiò a Sidonia quanno niscì.

Quella lo taliò 'mparpagliata.

«Ghiri? Unni?».

«A la mè casa».

«Nenti ti dissi 'u marchisi?».

«Nenti. Che mi doviva diri?».

«Che tu resti ccà».

«Fino a stasira?».

«Stanotti dormi ccà».

«A fari che?».

«A continuari a fari quello che fai ad Anita».

«Ma a che servi?».

«Servi, servi».

Per passari la nuttata, si fici dari un cuscino da mettiri sutta alle ghinocchia e un bùmmulo chino d'acqua pirchì a forza di parlari senza firmarisi la vucca gli si asciucava. Arriniscì a non addrummiscirisi mai. La matina alli setti trasì Sidonia col tidisco che inchì novamenti di liquito quella speci di clisteri e po' fici 'nzinga a Sidonia e a Giurlà di nesciri fora.

«Ora la visita. Tu veni a puliziariti e a mangiare».

La secunna nuttata, mentre che la chiamava, ebbi la 'mpressioni che Anita aviva accennato a votarisi verso di lui. Ma siccome il movimento non s'arripitì, pinsò d'essirisi sbagliato. Alle cinco di doppopranzo, quanno Sidonia lo chiamò per annare a mangiare, gli dissi che 'u dutturi tidisco era contento pirchì aviva attrovato un liggero miglioramento nella malata.

«Allura minni pozzo ghiri?».

«Ancora no».

Da quanno era arrivato nel palazzo non aviva mai potuto pigliari sonno e accussì alla terza nuttata, verso le tri del matino, tutto 'nzemmula si fici pirsuaso che la stanchizza lo stava facenno straparlari. 'Nfatti accapì che erano ure e ure che s'arrivolgiva ad Anita non chiamannola col sò nomi, ma con quello di Beba.

«Beba» le faciva «Bibbuzza mia, beddra, soli mè, cori mè, io sugno, Giurlà. Pirchì non rapri l'occhi e m'arrispunni? Non mi fari dispirari, Beba, amuri mè!».

Il sò corpo addimannava tanticchia di riposo. Senza squasi rinnirisinni conto, si livò le scarpi e si stinnicchiò allato a lei, tinennosi in pizzo in pizzo al letto.

«Anita, io sugno, Giurlà. Ccà sugno, allato a tia, Anita, rapri l'occhi, Beba, taliami…».

Arrè stava facenno confusioni! La stanchizza lo vincì e s'appinnicò.

Po', mentri che dormiva, ebbi la sinsazioni che 'na musca gli passiasse torno torno alla vucca e raprì l'occhi. Non era 'na musca, ma il sciato d'Anita che era arrinisciuta ad avvicinarigli la facci e ora lo taliava, finalmenti con l'occhi aperti.

Appena che la vitti arrisbigliata, niscì currenno fora dalla càmmara per annare a dirlo a qualichiduno, ma si persi tra corridoi e scali e po' finalmenti attrovò la cucina indove ci stavano Sidonia con dù cammarere mai vidute prima.

«La signurina s'arrisbigliò».

«Davero?!».

Sidonia aviva fatto 'na vociata di filicità, era curruta ad avvirtiri al marchisi e po' era tornata 'n cucina.

«Ora minni pozzo ghiri?».

«No».

«Ma se la signurina accomenza ad arripigliarisi…».

«'U marchisi dissi che ancora devi stari ccà».

Ma chi voliva ancora da lui?

«Pozzo annare a lavarimi e doppo nesciri tanticchia?».

«Vabbeni. Ma a mezzojorno priciso devi tornari».

S'arricriò a lavarisi. Doppo si fici accompagnari dal cammareri vistuto d'oro fino al portoni e niscì fora. Si misi a caminare supra a 'na strata tutta in salita.

Quanta genti che c'era e quanti negozi! Oramà non c'era cchiù bituato a stari 'n mezzo alle pirsone e ogni tanto sbattiva contro qualichiduno. E le carrozze quant'erano? Doppo tri jorni e tri notti che sinni stava 'nsirrato dintra a 'na càmmara, l'arietta frisca gli faciva il passo liggero. La strata finiva davanti a un granni castello mezzo arruvinato. E da lì si vidivano pàisi e campagne. Circò di scopriri indove era il laco ma non ci arriniscì. Gli vinni 'na gran smania d'attrovarisi nella sò casa, da troppo tempo stava lassanno sula a Beba.

A mezzojorno tornò a palazzo, arritrovò da sulo la strata della cucina.

Sidonia aviva finuto di priparari 'na ministrina di pollo.

«Spiramo che se la mangia!!» fici niscenno col piatto 'n mano.

Tornò passati 'na decina di minuti.

«Veni con mia».

Lo portò nella càmmara d'Anita. La picciotta era susuta a mezzo del letto con tri cuscini darrè la schina. Il tubbo le era stato livato dal vrazzo. 'U marchisi sinni stava addritta allato al letto tinenno 'n mano il piatto. 'U dutturi tidisco era assittato supra alla seggia vicina al capizzali.

«Aspetta ccà».

Giurlà si firmò appena passata la porta. Sidonia annò da Anita, si calò a diricci 'na cosa all'oricchio. Lenta lenta la testa della picciotta si votò verso Giurlà. Allura Sidonia livò 'u piatto dalle mano del marchisi, s'assittò a bordo di letto e accomenzò a civari ad Anita cucchiaro appresso cucchiaro.

'U marchisi s'addecisi a parlari doppo essiri stato a taliare un quarto d'ura verso la finestra dello studdio dalla quali si vidiva sulo 'u celo. Giurlà non ne potiva cchiù.

«Hai capito perché non ti posso lasciare andare?».

«Nonsi».

«Da quella domenica, quando tu l'hai salvata, Anita è diventata un'altra persona. Le è venuto un capriccio, ecco, o meglio, le è venuto quello che io ho pensato essere un capriccio passeggero. Ma Anita, appena ha capito che non la prendevo sul serio, si è rifiutata di mangiare e di parlarmi. Mia figlia ha una volontà forte come la mia. Io mi sono intestardito a negarle quello che voleva e lei non è arretrata di un passo. Poi, viste le condizioni nelle quali si era ridotta, quasi in punto di morte, ho dovuto cedere».

Si firmò, tornò a taliare verso la finestra. Di tutto quel discurso Giurlà aviva accapito sulamenti che Anita voliva 'na cosa che sò patre si era 'ncaponuto a non voliriccilla dari.

«Che ne pensi?» spiò 'u marchisi.

«Mi scusasse, cillenza, di che?».

«Di quello che ti ho detto».

«Ma vidisse, io non haio ancora accapito quello che Anita voliva».

«Te. Voleva te».

Fu come 'na potenti lignata 'n testa. Giurlà si susì di scatto, fici un passo avanti, la càmmara gli firriò torno torno, dovitti novamenti assittarisi.

«Ba… babbìa, cillenza?».

«Purtroppo no. L'hai visto tu stesso. Non voleva la minestrina, perché tu non c'eri. Quando sei venuto, se l'è mangiata».

No, non era possibbili!! Forsi lo scanto che s'era pigliata quanno era caduta nel laco l'aviva fatta strammare, ma di sicuro era 'na fissazzioni che le sarebbi passata. Fu come se 'u marchisi gli avissi liggiuto dintra alla testa.

«No, non le passerà, la conosco bene a mia figlia».

Che aviva da vidiri nella finestra che la taliava 'n continuazioni?

«Ma che voliti tutti da mia?» scatasciò Giurlà tra scantato e piatuso.

«Facciamo un'ultima prova» dissi 'u marchisi. «Tu ora te ne torni a casa. Se Anita non reagisce male, ti lascio in pace. Ma se Anita torna ad ammalarsi, ti mando a chiamare».

Non c'era che 'na strata. Sarebbi tornato a la casa e l'indomani a matino avrebbi pigliato il fujuto ghiennosinni a Vigàta. Se 'u marchisi lo mannava a chiamari non avrebbiro attrovato a nisciuno. Ma ancora 'na vota parse che 'u marchisi gli liggì 'n testa.

«E non pensare di scappartene, si tratta della vita di mia figlia. Per la quale sono pronto a tutto. A tutto. Chiaro? Se scappi, mando don Sisino a cercarti. E tu sai com'è fatto don Sisino».

Lo sapiva beni com'era fatto don Sisino. E macari il poviro Randazzo l'aviva saputo.

«Beba mia, mi senti? L'accapisci che quello che mi sta capitanno non è corpa mia? Che devo fari? Dispirato sugno! Aiutami! Dammi un signo qualisisiasi e io fazzo quello che voi tu! Pi carità, Beba!».

E chiangiva, la vucca appuiata al pagliuni. Tutto 'nzemmula, 'na gran botta di sonno lo pigliò a tradimento, non fici a tempo a chiuiri l'occhi che era già addrummisciuto.

S'arrisbigliò che 'u soli era già àvuto. Si sintiva arriposato, il ciriveddro lucito, i pinseri sireni. Era troppo tardi per annare in una mannara e accussì sinni scinnì al laco. La varchiteddra d'Anita c'era ancora e pariva sana. La misi in acqua e vitti che tiniva. Ci acchianò e accomenzò a rimari.

Tutto 'nzemmula accapì che, senza addunarisinni, era tornato nel punto priciso indove era capitata la disgrazia. E allura gli vinni 'na gran gana di calarisi in acqua. Pirchì, se non aviva nisciun desiderio di piscari? Si livò la cammisa e i cazùna e si tuffò. L'acqua era chiara. Natò verso il funno, fino al limiti della foresta suttamarina. Notò propio 'n cima a un ramo 'na cosa russa che in prima gli parse corallo. Ma com'era possibbili 'u corallo in un laco? Allungò 'na mano, la toccò. Non era corallo, era 'na speci di fettuccia russa arravugliata. La sbrogliò, la pigliò. Sì, era 'na fettuccia russa che a mità aviva attaccato un sonaglio. Si sintì di colpo ammancari l'aria pirchì si era arricordato. Niscì di cursa fora

185

dall'acqua, acchianò nella varchiteddra. Il sabato avanti che capitava la disgrazia, Anita era arrivata con quella fettuccia e l'aviva attaccata al collo di Beba. Allura si fici pirsuaso che quella era la risposta, il signo che aviva addimannato. Da quel momento in po' se la tinni sempri 'n sacchetta. Perciò, quanno tri jorni appresso s'apprisentò don Sisino e gli comunicò che doviva tornari a palazzo portannosi appresso la sò robba, lui dissi semplicimenti:

«Sì».

Pirchì aviva avuto la 'mpressioni che il sonaglio dintra alla sacchetta aviva, macari se non era possibbili, sonato. Gli pripararo 'na càmmara di dormiri allato a quella d'Anita. Giurlà, il jorno appresso che arrivò a palazzo, si annò ad accattare dù vistita novi, un paro di scarpi, cammise, quasette e mutanne. La matina, quanno s'arrisbigliava, si puliziava e po' ghiva nella càmmara d'Anita ad aspittari che rapriva l'occhi. La prima cosa che lei faciva era sorridergli e pigliare la mano di Giurlà nella sò. Appresso trasiva Sidonia con un cicarone di latti di crapa.

«La sai una cosa? Prima non mi piaceva ora non posso farne a meno».

Po' Giurlà nisciva e tornava doppo un'orata, quanno ad Anita la lavavano e le cangiavano la cammisa. A mezzojorno mangiavano 'nzemmula, Sidonia priparava un tavolinetto per lui mentri ad Anita, che ancora non si potiva susiri, portava 'na guantera. Lo stisso facivano la sira. Doppo quinnici jorni Anita per la prima vota si susì dal letto. Si fici 'na passiata nel corridoio abbraccetto a

Giurlà, ma si stancò presto. E fu appena che si rimisi corcata che accomenzò a parlari, dicenno a Giurlà quello che voliva cchiù di tutto nella vita. E il sonaglio parse al picciotto che aviva sonato sempri.

'Na decina di jorni appresso 'u marchisi, che in tutto quel tempo non aviva 'ncontrato mai, lo mannò a chiamari nello studdio.

«Anita mi ha detto che vi siete parlati. Siete completamente d'accordo?».

«Sissi, cillenza».

«Senti, per prima cosa non chiamarmi più eccellenza».

«E come la devo chiamari?».

«Come ti pare, ma niente eccellenza e baciolemano. Ricapitoliamo. Vi sposate tra due mesi nella nostra cappella qui in palazzo. Nessun invitato, solo i testimoni. Farai venire i tuoi genitori e tua sorella?».

«Nonsi, cil... Nonsi».

Mai sarebbiro vinuti a vidirlo maritare con la figlia di un marchisi. Si sarebbiro affruntati assà dei vistiti che portavano e delle facci che avivano.

«Vado avanti. Dopo il matrimonio, andrete a vivere nella casetta vicino al lago e tu continuerai a fare quello che facevi. È così?».

«Sissi».

«Non m'oppongo alla volontà di mia figlia. Ma c'è una cosa che devi capire. La casetta dove andrete dev'essere ingrandita e messa a posto».

«Ma Anita dici che...».

«Lo dice adesso che le va bene, ma, credimi, non ci

è abituata. Dopo un po' comincerebbe a soffrirne. Non dico di farci una villa, ma almeno ammattonarla, aggiungere due camerette».

Stavota fu sicuro che il sonaglio aviva sonato. Vero era, Anita non potiva dormiri supra a un pagliuni, doviva aviri un minimo di commodità.

«D'accordo» fici Giurlà. «Ma a patto che lo dico io ai muratori quello che devono fari».

Gli 'ntirissava che quanno ammattunavano non mannavano all'aria 'u posto di Beba. Aviva 'nfatti 'ntinzioni di fari mettiri 'u letto indove ci stava u' pagliuni.

Tempo un misi, la casuzza fu priparata. I muratori seguero l'ordini di Giurlà. La prima càmmara addivintò càmmara di riciviri per quanno vinivano i crapari, la càmmara di letto ristò quella di prima, sulo che era stata ammattunata, a mano manca ci stava 'na càmmara di mangiari con la cucina, a mano dritta 'na càmmara sulo per Anita che lei ci annava a leggiri e a fari quello che voliva. Darrè alla càmmara di letto avivano flabbicato un cammarino di commodo. Beba, 'nzumma, era ristata al posto sò: prima aviva avuto supra 'u pagliuni, ora aviva 'u letto matrimoniali. Il jorno prima che si dovivano maritari, dissi ad Anita che voliva passare la notti da sulo nella casa nova e la picciotta non gli replicò.

«Beba mia, lo vidi? Nenti è cangiato. Ti voglio diri sulo che da dumani in po' mi virrà difficili parlari con tia. Ma ti penserò sempri, in ogni momento. E non mi scorderò mai di tia, te lo giuro. Mi porto sempri il tò sonaglio dintra alla sacchetta. Quanno fazzo qualichi cosa che ti dispiaci, fammillo accapire. Anzi, facemo subito 'na prova. Lo vidi? Tegno 'n mano la fettuccia. Se tu non voi che mi marito con Anita, fai sonari il sonaglio e io ti giuro che lasso perdiri tutto, a costo di farimi ammazzare da don Sisino. Conto fino a deci».

Contò, ma il sonaglio non sonò.

«Bonanotti, Beba, amuri mè».

'U matrimonio vinni fatto alle deci del matino del jorno appresso. Sidonia era la tistimonia di Anita e don Sisino il tistimonio di Giurlà. D'autri pirsone, c'era sulo 'u marchisi. L'aneddri li aviva accattati lui da un orefici di Castrogiovanni. Quanno 'u parrino gli spiò se si voliva pigliari come mogliere ad Anita, arrispunnì di sì senza provari nisciuna emozioni. Era dalla matina che gli pariva di fari le cose come se s'attrovava dintra a un sogno, gli pariva d'essiri un pupo che faciva gesti e diciva palori pirchì un puparo 'nvisibbili gli suggiriva che doviva fari e diri. La càmmara di mangiari del palazzo era enormi, erano in cinco assittati a un tavolo longo longo, pirchì Anita aviva voluto che Sidonia mangiava con loro e a serbirli ci stavano il cammareri vistuto d'oro e tri cammarere fìmmine.

Nel primo doppopranzo sinni partero per il laco con dù carrozze. Nella prima ci stavano i dù sposini e Sidonia. Nella secunna, un baullo e quattro baligie d'Anita. La prima carrozza sinni tornò subito narrè, l'autra ristò ad aspittari a Sidonia che mittiva a posto la robba d'Anita. Per mangiare, la cammarera aviva portato dù pignate con dintra 'na parti della robba ristata dal pranzo di mezzojorno. Bastava quadiarlo. Po' sinni partì. Giurlà annò nella staddra a taliare il cavaddro e la mula, appresso raprì il magazzino per vidiri se era stato rifornito. Quanno tornò alla casa, non vitti ad Anita. La chiamò e non ebbi risposta. Niscì fora. Anita era a ripa del laco, gli voltava le spalli e pariva affatata a taliare l'acqua. 'U suli stava calanno e 'na parti del laco pariva tingiuta di russo. Po' la vitti principiare a tornari e sinni trasì 'n casa.

«Voi che ti priparo qualichi cosa di mangiari?» le spiò.

«No, non ho appetito. Ma se tu…».

«Manco io haio pititto».

«Tò, guarda!» fici Anita calannosi a pigliari di 'n terra la fettuccia russa con il sonaglio.

Gli doviva essiri caduta dalla sacchetta. Senza diri nenti, Anita se la ligò al collo. Si taliaro. E un attimo appresso s'attrovaro abbrazzati.

Com'è che non provava nisciuna vrigogna a mittirisi nudo davanti a lei?

E com'è che lei si spogliava davanti a lui come se erano maritati da anni?

Po' Anita s'assittò supra al letto con il sulo sonaglio al collo e si livò le scarpi e le quasette. Fu allura che Giurlà vitti il sò pedi mancino. Ecco pirchì zoppicchiava! Quant'era strammo! S'acculò, glielo pigliò tra le mano per vidirlo da vicino. Anita taliava quello che faciva Giurlà puntannolo con l'occhi. Era priciso 'ntifico a un pedi di crapa. Non aviva dita pirchì aviva proprio la forma d'uno zoccolo, sulo che non era fatto d'osso. La pelli era sdilicata, la carni rosa e tennira. Gli vinni di vasargielo e gielo vasò.

Lei allura stinnì le vrazza e se lo tirò di supra.

«Spegni il lume».

Lui si sporgì verso il commodino indove c'era il lumi e l'astutò.

Appena accomenzò a carizzarla, s'ammaravigliò. Com'è che gli pariva d'aviri accanosciuto quel corpo da sempri? D'avirlo praticato a longo già da prima? Era come tornari in un posto e arricordarisi di com'era il paisaggio e di come sciaurava e di come sparluccicavano i colori. 'Na terra cognita, amica, della quali sapiva a mimoria 'u giro del soli, le stascioni e i punti di luna. Tutto 'nzemmula lei l'allontanò, si votò, si misi appuiata supra alle ghinocchia e alle mano.

«Amuri mè» dissi Giurlà stinnennosi supra di lei e abbrazzannola.

«Bee» fici allura Anita con una voci pricisa 'ntifica a quella di Beba.

E arridì.

191

Nota

Questo romanzo conclude un ciclo iniziato con *Maruzza Musumeci* e proseguito con *Il casellante*. Sono tre storie che raccontano tre metamorfosi più o meno riuscite. Nei tempi antichi le metamorfosi venivano più facili a dirsi e a farsi.

A. C.

Indice

Questo volume è stato stampato
su carta Palatina
delle Cartiere Miliani di Fabriano
nel mese di marzo 2009
presso la Leva Arti Grafiche s.p.a. - Sesto S. Giovanni (MI)
e confezionato
presso I.G.F. s.r.l. - Aldeno (TN)

La memoria